D0812993

Nous remercions le ministère du Patrimoine canadien,
la SODEC et le Conseil des Arts du Canada
de l'aide accordée à notre programme de publication

Patrimoine canadien Canadian Heritage

Conseil des Arts du Canada

Canada Council for the Arts

ainsi que le gouvernement du Québec
– Programme de crédit d'impôt
pour l'édition de livres
– Gestion SODEC.

Nous reconnaissons l'aide financière
du gouvernement du Canada
par l'entremise du Fonds du livre du Canada
pour nos activités d'édition.

Illustration de la couverture:
Nicolas Beaulieu-Drolet

Conception de la maquette:
Grafikar

Montage de la couverture:
Grafikar

Édition électronique:
Infographie DN

Membre de l'Association nationale des éditeurs de livres

ASSOCIATION
NATIONALE
DES ÉDITEURS
DE LIVRES

Dépôt légal: 3e trimestre 2011
Bibliothèque nationale du Canada
Bibliothèque nationale du Québec

1234567890 IM 0987654321

ISBN 978-2-89633-187-1
11409

LA MALÉDICTION DES FERDINAND

TOME 2

La rêveuse extralucide

DU MÊME AUTEUR
AUX ÉDITIONS PIERRE TISSEYRE

Collection Chacal
Série La malédiction des Ferdinand
Tome 1 : *L'ouvreuse de portes,* roman, 2010.

AUX ÉDITIONS DE LA PAIX

Des pâtes et des vertèbres, roman, 2008.
Finaliste au prix Cécile-Gagnon 2008.

Catalogage avant publication de Bibliothèque et Archives du Québec et Bibliothèque et Archives Canada

Marcotte, Roger, 1962-

La malédiction des Ferdinand.
Tome 2 : la rêveuse extralucide

(Collection Chacal ; 61.)
Pour les jeunes de 12 ans et plus.

ISBN 978-2-89633-187-1

1. Titre II. Collection : Collection Chacal ; 61.

PS8626.A737M342 2011 jC843'.6 C2010-942687-8
PS9626.A737M342 2011

LA MALÉDICTION DES FERDINAND

TOME 2

La rêveuse extralucide

Roger Marcotte

roman fantastique

ÉDITIONS PIERRE TISSEYRE
www.tisseyre.ca

155, rue Maurice
Rosemère (Québec) J7A 2S8
Téléphone: 514-335-0777 – Télécopieur: 514-335-6723
Courriel: info@edtisseyre.ca

Résumé du Tome 1

Renaud et ses deux sœurs aînées, Fred et Lorie, sont de retour au Québec. Ils ont passé la majeure partie de leur vie à l'étranger avec leur père, Mathieu Ferdinand. Le décès de celui-ci survient peu après leur arrivée au pays. Il a été victime d'un étrange écrasement d'avion. Les trois jeunes apprennent alors qu'ils ont de la famille, dont Jacinthe, la sœur unique de leur père avec qui il correspondait secrètement depuis plusieurs années. Lorie, Fred et Renaud découvrent aussi qu'une malédiction s'attaque aux Ferdinand depuis plusieurs siècles : tous les hommes de cette lignée meurent avant que leur fils aîné n'ait atteint l'âge de treize ans. Cette malédiction semble également avoir fait apparaître des dons surnaturels chez chacun des enfants de Mathieu. Lorie peut maintenant voir dans ses rêves des événements passés et à venir. Et Fred peut contrôler l'ouverture de tout

ce qui s'apparente à une porte, dont celle du monde de Borellus, où seul Renaud peut accéder.

De ce monde où il existe sous forme de spectre, le sorcier Borellus s'attaque à la famille Ferdinand chaque fois que Renaud va y consulter son ancêtre Zéphirin. Les informations de son aïeul sont malheureusement indispensables pour pouvoir retrouver les ossements de Borellus et les détruire, seule façon de mettre fin à la malédiction. Les enfants de Mathieu y parviennent avec l'aide de leur tante Jacinthe et de père Jean et Edmond, deux autres Ferdinand presque centenaires.

La meilleure amie de Fred, Abi, elle-même une descendante de Borellus, avait été chargée par sa grand-mère d'espionner la famille Ferdinand. Par amitié pour Fred, l'adolescente a finalement choisi de trahir sa grand-mère, sa mère Dolorès et ses oncles Antonio et Ricky en contribuant à l'anéantissement des restes du sorcier.

TOME 2

Chapitre 1

Crétin, le fils du sorcier Borellus, se désintéressait de sa tâche depuis un bon moment déjà. Difficile pour lui d'estimer depuis combien de jours, ou même de mois, il était là, sur cette colline, le dos appuyé contre un arbre qui n'en était pas un. Pas comme ceux qu'il avait connus dans son existence réelle, du moins. Il s'étira, bougeant ses orteils en cadence avec ses doigts tout aussi sales. Il frotta son visage mal rasé à deux mains, puis la voûte dégarnie de son crâne. Et il plaça ses longs cheveux gras derrière ses oreilles en poussant un bâillement silencieux.

— En plus de m'avoir fait périr sur le bûcher, voilà qu'il m'oblige à faire le guet pour lui, grogna-t-il en pensant à son père.

Il daigna lancer un bref regard sur l'objet de sa surveillance : un homme d'une

trentaine d'années vêtu d'une culotte et d'une chemise en lambeaux. Les mains jointes derrière la tête, l'individu reposait sur le dos d'un rocher plat cerné de brume. Il était pieds nus, lui aussi, et malgré la grisaille et l'humidité un sourire rêveur se devinait à travers sa barbe.

— Cet imbécile a l'air heureux, en plus ! persifla Crétin en se retournant sur le côté, de façon à ne plus le voir.

Il allait fermer les yeux quand il sentit le vent se lever. En un réflexe, le fils de Borellus se retrouva assis. La peur le fit reculer en geignant contre l'arbre dénudé, cherchant d'où le danger allait surgir. La bourrasque le plaquait maintenant au creux des racines grises. Elle cessa brusquement, dès l'apparition du vieux Borellus.

— Je t'avais ordonné de ne pas quitter Zéphirin Ferdinand des yeux ! rugit-il en piétinant le sol de ses maigres jambes affublées d'un collant et de longues chaussures pointues. Qui me préviendra si le gamin arrive pendant ton inutile sommeil ?

— Mais père, se défendit Crétin, ce n'est pas ma faute. Zéphirin a toujours ce sourire aux lèvres. C'est insupportable.

— Alors, va plutôt te poster devant la porte, triple idiot ! C'est par là que le garçon va arriver, acheva-t-il en balayant l'air de ses bras.

Ce faisant, il déclencha de nouveau une tempête. Crétin s'agrippa du mieux qu'il put au tronc lisse dans l'espoir de ne pas être emporté. En vain. Ses mains glissèrent et il roula sous la poussée du vent sans pouvoir s'accrocher à quoi que ce soit. Le choc violent de son corps contre la porte d'allure médiévale mit fin à sa course.

— Pitié ! Arrête, j'ai compris, parvint-il à crier.

Cette supplication sembla irriter encore plus le vieillard, dont les rares cheveux blancs et les plumes du chapeau fouettaient l'air. Ses mouvements de bras s'accélérèrent et ce fut au tour de l'arbre d'être déraciné du sol pour être emporté. Au passage, il en fracassa un plus gros et encore un autre avant que les troncs et les pierres arrachés du sol ne s'immobilisent contre l'encadrement de la porte. Les rafales cessèrent alors, laissant voir un bref instant le chemin pavé qui menait à la porte. Puis la brume le recouvrit une fois de plus.

— Tu lui fais peur, mais ça ne peut pas vraiment lui faire de mal.

Borellus se retourna aussi sec vers Zéphirin, qui avait eu l'arrogance de s'adresser à lui. Le sorcier tremblait de colère en le dévisageant. Toujours étendu sur le rocher, l'homme arborait un sourire plus moqueur que jamais. Crétin profita de la diversion pour s'extirper du peu d'espace restant entre la porte et l'amas d'arbres et de roches qui le retenaient prisonnier. Demeurant caché derrière le plus élevé des troncs, il ferma les yeux et enfonça la tête entre les épaules au moment où Borellus poussa un hurlement accompagné d'inquiétants mouvements de bras saccadés. Pendant plusieurs minutes, il n'y eut plus qu'une tornade grandissante. Le sorcier se tenait au centre de celle-ci, les deux pieds bien ancrés au sol, manifestant sa colère par des cris qui parvenaient presque à couvrir le tumulte assourdissant.

— Est-ce que c'est terminé? gémit Crétin, dès que le déchaînement de vents s'arrêta aussi subitement qu'il avait commencé.

— Tu peux sortir de là, poltron, l'informa Zéphirin. Ton père ne pouvait rien faire de plus et il est reparti.

N'osant abandonner son abri, Crétin se risqua à jeter un œil vers son interlocuteur. Le paysage était à présent désert. Des débris de feuilles et de la poussière retombaient lentement au sol. Aussi loin que le brouillard le lui permettait, il n'apercevait plus que Zéphirin sur son rocher. Toutefois, l'énorme bloc de pierre se dressait maintenant à la verticale, comme un menhir. Zéphirin Ferdinand y était étroitement attaché par de lourdes chaînes, pieds en l'air et tête vers le sol.

Chapitre 2

Abi était essoufflée. Pour la trentième fois, l'adolescente gravissait l'escalier extérieur menant à l'appartement de sa mère. En plein milieu de la nuit, dans le froid, sans lumière. On fait comme ça quand on veut déménager incognito, en omettant de payer les mois de loyer en retard.

Abi prit une courte pause. Son haleine s'échappait de sa bouche en petits nuages blancs. Elle regarda Dolorès, sa mère, descendre à sa rencontre. On lui rappelait souvent leur forte ressemblance. Malgré ses quarante ans, Dolorès avait conservé sa minceur en échange de deux heures quotidiennes de conditionnement physique en salle de gym. Elle détestait ça, mais l'accumulation de kilos lui faisait trop peur. Sa chevelure était aussi noire que celle de sa fille. La teinture faisait des miracles pour cacher ses cheveux blancs de plus en plus

nombreux. Sa coupe était plus courte que celle d'Abi, toutefois, Dolorès se fiant au personnel de son dispendieux salon de coiffure pour lui choisir un style. La couleur de leur peau n'était pas la même non plus. Abi préférait sa pâleur au hâle trop foncé donné par les séances de bronzage. Dolorès arrivant à sa hauteur, l'adolescente l'apostropha :

— Tu fais exprès de me laisser les objets les plus lourds.

— Je ne veux pas t'entendre te plaindre, rétorqua la femme chargée de deux minuscules lampes de chevet. C'est ta faute si je dois partir d'ici. Depuis que tu as aidé les Ferdinand à détruire les ossements de Borellus…

— Ça n'a rien à voir, se défendit Abi. Tu quittes ton appartement parce que tu as l'intention d'emménager avec le vieux. Je le sais bien.

— Ne l'appelle pas comme ça ! Il n'est pas si âgé. Et puis c'est un ami de longue date.

La jeune fille s'arrêta trois marches au-dessus et déplaça la longue mèche de cheveux qui lui cachait continuellement l'œil gauche.

— Ne me prends pas pour une dinde, maman. Tu ignorais son existence il y a deux mois, avant qu'il te refasse les seins. Et tu pars déjà en croisière avec lui. Je sais comment ça va finir. Ce n'est pas la première fois.

Elle s'empressa de reprendre sa montée pour éviter de recevoir une réplique. La jeune fille connaissait la suite. Sa mère convaincrait le chirurgien esthétique de l'épouser, peut-être même avant la fin de la croisière. Puis elle emménagerait chez lui. Et il ne s'écoulerait pas six mois avant l'échec de leur relation et le début des procédures de divorce. Dolorès en sortirait enrichie d'une pension alimentaire supplémentaire.

Arrivée dans l'appartement, Abi dut se rendre dans la chambre du fond pour trouver une autre boîte à descendre, plus lourde que la précédente. Croisant de nouveau sa mère dans l'escalier, elle déversa encore une fois sa frustration sur elle.

— Tu aurais pu demander plus d'aide pour trimballer tout ça.

— Ricky a encore son plâtre à la jambe. Nous sommes déjà chanceuses qu'il puisse conduire le camion. Quant à Antonio, va lui en parler si tu en as le courage.

Cette fois, Abi ne riposta pas. Son oncle Antonio rêvait de l'égorger depuis qu'elle avait contribué à la destruction des ossements et des cendres de leur ancêtre. Elle l'évitait le plus possible.

Arrivée en bas de l'escalier, elle déposa la boîte dans le camion de location et la fit glisser auprès des autres. Ricky ouvrit la portière du véhicule et se tourna sur son siège de façon à laisser pendre à l'extérieur sa jambe gauche plâtrée.

— Abi, viens voir, l'invita-t-il en lui montrant son téléphone cellulaire.

Elle s'approcha et jeta un coup d'œil sur l'écran de l'appareil qui brillait dans le noir. Une fille nue y prenait des poses dignes d'une contorsionniste. Son oncle, ajustant sa tuque dernier cri sur ses oreilles, continua d'une voix racoleuse :

— J'ai filmé ça dans mon studio. Cette fille-là, c'est une vedette internationale, maintenant.

— Dégueulasse ! commenta Abi en s'écartant du quadragénaire ventripotent aux fausses allures d'adolescent.

Ricky lui mit la main sur l'épaule pour la ramener vers lui. Ses bracelets et sa montre en or tintèrent à l'oreille de sa nièce en s'entrechoquant.

— Penses-y, Abi, c'est très payant. Tu pourrais venir à mon studio, juste pour voir. Tu commenceras par poser tout habillée. Quand tu seras plus à l'aise, tu pourras en enlever un peu, si tu veux. Seulement si tu veux.

Figée sur place, Abi était muette de stupeur. L'oncle Ricky interpréta ce silence comme un début d'accord.

— Ce serait dommage pour toi de ne pas profiter de cette occasion. Tu es très belle, tu sais. Tu as vraiment quelque chose de plus que les autres. C'est dans ton regard, ton attitude, ton sourire. Je te le dis, il y a des années que je n'ai pas vu une fille avec autant de potentiel que toi. Tu es tellement jolie. Tu le sais que tu es belle, n'est-ce pas ?

— Bla-bla-bla. Gros dégueulasse ! rugit-elle en se dégageant.

Dans ce mouvement de recul, elle écrasa le pied de sa mère, qui venait de capter les derniers propos de Ricky. Dolorès se mit à

frapper son frère à l'aide des oreillers qu'elle avait descendus.

— Tu essaies de recruter ma fille pour jouer dans tes minables films pornos, mon salaud ? Abi, dis-moi, tu ne t'es pas laissé tenter par les belles promesses de cette crapule ?

— Maman ! s'offusqua Abi. On ne me verra jamais dans des films cochons, tu peux en être certaine.

— Tu comprends tout de travers, ma fille. Je ne t'interdis pas de tourner dans ce genre de films. Je te mets seulement en garde contre Ricky et les profiteurs de son espèce. Ce domaine, ça peut être très payant. Mais si tu veux t'y lancer, tu ne peux faire confiance qu'à moi. Promets-moi de m'en parler quand tu voudras…

— Maman ! Arrête ! dit Abi en se sauvant vers l'escalier. Je n'ai rien en commun avec toi et ta famille ! Vous me levez le cœur !

Enragée, la jeune fille gravit les marches quatre à quatre sans se soucier de réveiller les autres locataires. Elle courut ainsi jusque dans la dernière pièce de l'appartement.

Ses mains tremblantes empoignèrent une large boîte. Abi leva brusquement l'objet avec l'intention de le déposer plus loin pour avoir accès aux petites boîtes coincées derrière. Le carton devint soudain trop facile à soulever : le fond avait cédé.

— Merde ! Ce n'est pas moi qui vais ramasser ça.

Des albums et des photos lui couvraient les pieds. Elle commença à les écarter du bout de son soulier. Son attention fut attirée par une photographie de grand format.

— C'est… Mais, qu'est-ce qu'il fait là-dessus ? Avec ma mère !

Abi saisit le cliché et ceux immédiatement dessous. Elle les regarda les uns après les autres dans un ahurissement croissant. Des photos de sa mère avec les cheveux teints en blond, en compagnie d'un homme. Dans les bras l'un de l'autre, en train de s'embrasser dans un restaurant. Cet homme, Abi le reconnaissait même s'il était plus jeune sur les photos que lorsqu'elle l'avait côtoyé.

— Comment oses-tu ! vociféra sa mère qui venait d'apparaître derrière elle.

La surprise fit tomber la plupart des photographies des mains d'Abi. Les autres, elle se les fit arracher sans ménagement.

— Je t'interdis de fouiller dans mes affaires ! éructa la femme, hors d'elle. C'est ma vie privée, ça ne te concerne pas !

— Que faisais-tu avec Mathieu Ferdinand ? Tu es déjà sortie avec le père de Fred ? C'était quand ? Avant ou après ma naissance ? Pourquoi est-ce…

Abi stoppa son déluge de questions quand Dolorès se mit à la gifler. L'adolescente fut projetée parmi les boîtes. Le temps de se relever et sa mère avait déjà récupéré les photos compromettantes. La femme passait le seuil de la porte en proférant des menaces, deux albums et des images en désordre entre les bras. Sautant sur ses jambes, Abi courut la rejoindre pour continuer de la harceler. Avant d'être parvenue au bas de l'escalier, sa mère s'arrêta.

— Maintenant, tu vas te taire ! Ton oncle pourrait entendre, marmonna la femme.

— Je me fous de Ricky ! Je ne te lâcherai pas tant que tu ne m'auras pas tout dévoilé.

— Tu es un vrai poison. Ferme-la !

— Je vais aller demander à Ricky s'il était au courant pour toi et Mathieu, lança Abi en repoussant sa mère.

— OK, OK! dit Dolorès en l'agrippant par les cheveux. Je te raconterai tout quand nous serons seules. En attendant, tu as vraiment intérêt à ne plus en parler. Je te l'assure.

— Compris, maman, acquiesça-t-elle, la tête renversée vers l'arrière. Lâche-moi, tu me fais mal!

Aussitôt libérée, Abi escalada les marches pour terminer ce déménagement au plus vite. Mais surtout pour mettre la main sur le seul cliché oublié par sa mère. À l'abri sous la table de chevet, où l'adolescente l'avait aperçu avant de se relever.

Chapitre 3

Le contenu du camion de déménagement avait été transféré dans un entrepôt de la Rive-Sud de Montréal. Abi avait souri en entendant sa mère confier à l'employé qu'elle prévoyait récupérer ses effets dans deux mois. Ricky les avait quittées et Dolorès raccompagnait maintenant sa fille chez sa grand-mère, à Granby. Le soleil se levait, Dolorès roulait trop vite et elle semblait vouloir éviter le sujet.

— Tu m'expliques maintenant ? dit Abi.

— Quoi ?

— Tu le sais bien. Ne fais pas l'innocente.

— Il n'y a rien à dire de plus. Tu sais déjà tout, soutint sa mère.

— Combien de temps as-tu fréquenté Mathieu Ferdinand ?

— Qu'est-ce que ça peut te faire ?

— Combien, maman ?

— Ah, tu m'exaspères! Seulement un mois. Tu es contente?

La frustration l'avait fait accélérer. Elle serrait les dents.

— Donne-moi des détails. Comment vous êtes-vous rencontrés? Et quand?

— C'était avant ta naissance, alors en quoi ça peut t'intéresser?

Abi attendait la suite en la fixant du regard.

— Il a été mon amant, avoua Dolorès sur un ton résigné. Ta grand-mère m'avait demandé de le surveiller pendant un séjour à Paris. Il s'y était rendu pour son travail. Après deux jours, il m'avait déjà remarquée. Il faut dire que j'étais particulièrement jolie à l'époque.

Elle glissa inconsciemment un doigt sur le bord de son œil pour vérifier les bienfaits de son dernier traitement au Botox.

— Il a cru que je l'épiais parce que je m'étais éprise de lui. J'ai joué le jeu pour ne pas éveiller ses soupçons. Mais c'est vrai qu'il me plaisait bien. On a passé un mois seuls là-bas, tous les deux.

— Et?

— Et c'est tout ! Il est revenu au Québec et il a continué sa petite vie tranquille avec sa famille. Il n'a jamais su qui j'étais réellement. Pour lui, ce n'était qu'une aventure.

Abi demeura muette pendant les minutes suivantes avant de reprendre la parole.

— Tu as dit « sa famille » plutôt que « sa femme ».

— ...

— Il avait donc au moins un enfant. Oui, c'est ça. Et seulement un puisque votre aventure a eu lieu avant ma naissance et que Fred a mon âge.

De nouveau, un long silence s'installa. Dolorès paraissait mal à l'aise. Abi décida de tenter quelque chose, même si ce qu'elle allait dire lui semblait totalement saugrenu.

— Mathieu était mon père !

Sa mère pâlit, puis se mit à traiter Abi de folle. Mais cette hésitation, ces insultes trop tardives laissaient deviner à Abi qu'elle avait frappé juste.

— Je n'arrive pas à y croire, marmonna l'adolescente, sous le choc. Je suis la demi-sœur de Fred...

— Cesse de raconter des bêtises ! Je n'ai jamais dit ça, s'emporta Dolorès.

— Si tu ne veux pas me le confirmer toi-même, c'est la première chose que je demanderai à grand-maman quand on arrivera chez elle.

Dolorès freina à fond, risquant de perdre le contrôle du véhicule. Elle se stationna sur l'accotement. Saisissant sa fille par les épaules, elle la dévisagea avec rage. Abi sentit les ongles de sa mère s'enfoncer dans sa chair malgré l'épaisseur de ses vêtements. Elle n'osa toutefois pas crier ni se plaindre.

— D'accord, espèce de petite fouille-merde. Oui, Mathieu était ton père ! Il ne l'a jamais su, mais il était bien ton père. Et sa femme est tombée enceinte de ton amie Fred dès son retour. Pourquoi crois-tu que tu aimes tant les Ferdinand ? Et que tu les as aidés à détruire les restes de Borellus ?

Abi ne parlait plus, ne bougeait plus. Elle attendait docilement la fin de l'ouragan. Relâchant un peu sa prise, Dolorès adopta un ton très calme. Trop calme. Elle fixa sa fille d'un regard glacé.

— Et que l'on se comprenne bien, Abi. Tu es la seule personne sur terre à connaître cette histoire à part moi. Si ta grand-mère l'apprend, elle va me déshériter. Je n'ai pas l'intention de perdre tout cet argent. Alors, si jamais tu oses parler de ça, à elle ou à tes amis Ferdinand, je te jure que je vais t'arracher les yeux. Tu as bien saisi, Abi ?

L'adolescente, intimidée et terrifiée, hocha la tête en demeurant muette. D'ailleurs, aucune des deux n'ouvrit la bouche durant le reste du voyage.

Chapitre 4

Les steaks d'orignal et les poitrines de perdrix, grillés sur le barbecue par Edmond, avaient comblé tous les appétits. L'homme de quatre-vingt-dix ans, basané, ridé et partiellement édenté, avait pris l'initiative d'apporter les fruits de ses dernières chasses.

Frédérique, que tous surnommaient Fred, était une jolie fille de quinze ans. Elle avait contribué au repas avec un taboulé et une salade verte. L'adolescente avait glissé sa main dans ses courts cheveux bruns en regardant grésiller les viandes sauvages. Ce laps de temps lui avait suffi pour prendre sa décision. Celle de mettre de côté ses prétentions végétariennes pour aujourd'hui.

Edmond les avait laissés seuls dans la cuisine de Jacinthe, leur tante, pour aller récupérer les ustensiles abandonnés près du barbecue déjà refroidi par la température d'automne. Observant le vieil homme par

la fenêtre, Fred souleva à distance le couvercle de l'appareil de cuisson pour le refermer aussitôt en un claquement qui fit sursauter le vieil homme. Quand il se retourna vers elle, en lui montrant le poing d'un air amusé, l'adolescente le salua de la main en souriant. Fred ne se lassait pas de ce don apparu depuis leur retour au Québec : celui de pouvoir contrôler par la pensée tout ce qui peut s'ouvrir ou se fermer.

— La destruction du coffret, et des ossements de Borellus qu'il contenait, ne semble pas avoir mis fin à la malédiction, déplora père Jean en regardant distraitement son frère. Je n'y comprends rien. Ça aurait dû fonctionner.

Il constatait qu'Edmond bénéficiait d'une demi-couronne de cheveux un peu plus généreuse que la sienne. Il caressa sa barbe grise et fournie en se disant qu'elle compensait bien son déficit capillaire, contrairement au visage glabre de son cadet. Se retournant vers Lorie et Renaud, demeurés assis devant les restes de leur repas, il poursuivit :

— Je résume. La malédiction cause la mort des Ferdinand mâles dont le fils aîné

va atteindre ses treize ans. Cela menace également Renaud, s'il a un fils un jour. Cette malédiction permet aussi aux descendants de Borellus qui possèdent ses ossements de bénéficier d'une durée de vie beaucoup plus longue que la normale. Des années d'existence volées aux membres de notre famille. Et le même phénomène se produit avec les richesses des Ferdinand: c'est à la lignée des Borellus qu'elles profitent. Et malgré que nous ayons réussi à détruire les os et les cendres…

— … aucun changement positif n'a eu lieu pour Renaud, Fred et Lorie, compléta Jacinthe, de la pièce voisine où elle terminait de se laver les mains.

Une serviette entre les doigts, elle revint auprès d'eux. Depuis peu, elle avait délaissé sa teinture excentrique pour revenir à sa couleur naturelle: un superbe gris argenté.

— La fraude financière qui empêche le versement de la prime d'assurance-vie de mon frère aux enfants est toujours sous enquête, précisa-t-elle. Quant à la valeur de ses actions, qui avaient dégringolé la journée de son décès, elle avait encore baissé

lorsque j'ai vérifié les cotes de la Bourse, hier.

— Pourtant, Zéphirin disait que la malédiction cesserait avec la destruction des restes de Borellus, rappela Renaud, l'air songeur.

Depuis le décès de son père, Renaud paraissait plus vieux que ses treize ans. Il avait toujours ses courts cheveux châtains, bouclés et rebelles, mais à présent on lui voyait souvent cet air grave. Tout un contraste avec sa gaieté habituelle et ses éclats de rire qui mettaient en évidence ses larges dents blanches et ses discrètes taches de rousseur.

— Il doit y avoir autre chose, renchérit Lorie, puisque rien n'a changé.

Lorie, l'aînée des enfants Ferdinand, approchait de ses dix-huit ans. Elle présentait un teint légèrement hâlé comme sa sœur et des cheveux plus longs et foncés que son frère, mais tout aussi rebelles. Elle continua sa réflexion.

— Il serait intéressant de savoir si la situation de la famille d'Abi s'est détériorée.

— Ne comptez pas sur moi pour le lui demander, coupa Fred. Je ne lui ai jamais

reparlé depuis que ses oncles ont essayé de nous voler les ossements de leur ancêtre Borellus. Même si elle a fini par tout nous dire, ça ne compense pas le fait qu'elle nous trahissait depuis le début.

Chapitre 5

— Tu n'as pas encore terminé, Ricky? s'énerva la grand-mère.

— Ça avance, boss, répondit son fils, posté à un bureau dans une des nombreuses pièces du rez-de-chaussée. Sois patiente, je vais t'arranger tout ça. Mais il faut me laisser travailler tranquille.

— Je te dérangerai si j'en ai envie! aboya-t-elle. Tu ne me diras pas quoi faire!

Ricky fulminait, mais il ne répliqua pas. Depuis son accident vasculaire cérébral, sa mère était devenue particulièrement impatiente et irritable. Lui, son frère et sa sœur ne cessaient d'être harcelés par ses demandes. Elle leur téléphonait à toute heure du jour et de la nuit. En ce moment, Ricky installait des logiciels dans l'ordinateur pour l'adapter aux handicaps de sa mère. Heureusement pour lui, Antonio discutait avec la vieille femme au salon. Sinon, elle serait à ses côtés et l'empêcherait de se concentrer.

— Maman, susurra Antonio en tripotant nerveusement sa barbe, je dois te parler de quelque chose d'important. Tu veux bien m'écouter attentivement, s'il te plaît ?

La femme, affalée dans le fauteuil en face du sien, se pencha avec effort. Elle lui répondit sur le même ton mielleux.

— Antonio, continue de t'adresser à moi comme si je souffrais de déficience mentale et je vais te balancer un coup de ma canne dans les dents. J'espère que tu m'as écoutée attentivement.

— Ça va ! On ne sait plus comment te prendre, toi. Tu es rendue tellement…

Il se recula juste à temps. La canne quadripode venait de lui frôler le nez. Il éloigna son fauteuil, puis s'entretint avec elle d'une façon plus naturelle.

— Maman, un des trois coffrets d'ossements a été détruit par la faute d'Abi, cette petite gar…

Un nouveau passage de la canne devant sa figure fit bouger les poils de sa barbe grisonnante. Il attendit la fin du flot d'injures dont elle l'inondait. Quand sa mère s'arrêta pour reprendre son souffle et essuyer un filet de bave lui collant au menton, il reprit :

— Je disais qu'un des trois coffrets a été détruit par les Ferdinand. Et tu nous as déjà affirmé qu'un autre avait disparu en France, il y a plusieurs siècles. Il n'existe plus, très certainement. Il ne reste donc que celui que tu as en ta possession.

La vieille dame releva son turban bleu orné d'une plume de paon. Les yeux enfin dégagés, elle abandonna sa canne pour projeter sa pantoufle au visage de son fils. Il ne tenta pas de l'éviter, laissant l'objet rebondir mollement sur le sommet de son crâne.

— Maman, sois raisonnable, grinça-t-il en contenant sa colère. Il vaut mieux ressusciter Borellus maintenant et profiter de ses connaissances, de ses pouvoirs. C'est toi qui as les derniers ossements et les instructions pour le faire revenir parmi nous. Pourquoi se contenter des miettes apportées par la malédiction alors que tu pourrais obtenir beaucoup plus ?

— Et ça te permettrait d'en tirer quelque chose, toi aussi. Alors qu'en ce moment, ça ne profite qu'à moi. C'est ce que tu te dis, mon fils ?

— Euh… oui, un peu.

— Je vais mourir bientôt, Antonio. Je te léguerai cette boîte et son contenu, c'est promis, murmura-t-elle pour ne pas être entendue de Ricky. Mais seulement si tu ne m'embêtes plus avec ça. C'est compris ?

L'incrédulité se lisait dans les yeux de son fils aîné. Il n'était pas dupe, mais il décida d'abandonner la partie pour l'instant. Antonio se leva en lui fabriquant le plus beau sourire dont il était capable. Sortant un cigarillo et un briquet doré de sa poche, il soupira.

— D'accord, maman. Tu me l'as promis, n'oublie pas.

— Va allumer ça dehors ! Tu veux me faire mourir tout de suite, c'est ça ? Dehors, j'ai dit !

Antonio sortit en laissant un filet de fumée odorante derrière lui. La vieille femme vociféra une autre fois, s'adressant maintenant à Ricky :

— Non, mais, tu vas partir toi aussi, ou je dois te chasser à coups de canne ?

— Ça va ! J'ai terminé ! Il me reste seulement à t'expliquer comment te servir des nouveaux logiciels.

— Je t'ai assez vu. Tu me montreras ça une autre fois, quand je te dirai de revenir.

Insulté, Ricky quitta la maison à son tour en boitant et en marmonnant une salutation à laquelle sa mère ne daigna pas répondre. Elle attendit deux ou trois minutes avant de lancer un appel de sa voix éteinte.

— Abi, tu peux sortir de ta cachette. Il n'y a plus rien à craindre.

Abi émergea de la chambre de sa grand-mère où elle s'était réfugiée à l'arrivée de ses oncles. Antonio la détestait et ses crises de colère incontrôlables représentaient un réel danger pour l'adolescente. Elle alla vérifier par la fenêtre du salon, écartant du bout des doigts les lourds rideaux de velours bourgogne. Plus de traces des deux hommes.

— Tu as entendu beaucoup de choses de là où tu te terrais, mon petit canari. Viens t'asseoir près de moi. Il est temps que je te mette au courant de tout ça.

Sa grand-mère avait changé depuis son accident vasculaire cérébral. Sa jambe gauche ne répondait plus assez pour qu'elle marche sans canne ou sans s'appuyer sur les meubles. Et elle devait réapprendre à utiliser son bras du même côté, dont elle ne parvenait à bouger quelques doigts qu'avec difficulté. Elle s'exprimait beaucoup plus librement aussi, disant tout ce qu'elle pensait sans aucune gêne ou retenue. Ses enfants l'évitaient. Seule Abi trouvait grâce à ses yeux, même si elle subissait aussi ses sautes d'humeur par moments.

— Les ossements de notre ancêtre Borellus, c'est toi qui vas en hériter. Pas ce grand abruti d'Antonio, ajouta la vieille femme en replaçant son turban de sa main valide. Ni les petits Ferdinand, dit-elle en la toisant d'un œil accusateur.

L'adolescente pencha la tête pour mieux se dissimuler derrière ses longs cheveux noirs.

— Quand le moment sera venu, je te révélerai où il est. Mais pas tout de suite.

Abi gardait le silence pour inciter sa grand-mère à continuer.

— Voici comment ça fonctionne, reprit la vieille femme. Le simple fait de posséder le coffret d'ossements te sera déjà bénéfique. Pour en profiter encore plus, il te faudra vivre près d'un Ferdinand. Si cet imbécile d'Antonio n'avait pas incendié la maison

de Mathieu Ferdinand, ses enfants y seraient probablement encore et tu en sentirais les bienfaits. Nos ancêtres vivaient à proximité des Ferdinand et ils les suivaient dans leurs déplacements. Comme les chasseurs de mammouths de la préhistoire. Tu sais ce que c'est un mammouth, Abi ? Bien sûr, tu connais. Et moi, je me perds dans mes explications. Ramène-moi à l'ordre si je m'éloigne encore du sujet.

La jeune fille lui sourit en signe d'accord. Mais elle savait bien qu'elle n'oserait pas le faire, de peur de provoquer une crise de colère.

— J'en étais où? reprit la grand-mère. Ah oui, en théorie, le contenu du coffret permettrait de ramener Borellus à la vie. Mais on n'en a rien à cirer. À part cet idiot d'Antonio, bien sûr. Lui, je n'ai jamais pu le sentir. Tu sais qu'il aimerait bien te briser le cou, mon petit poussin ? Mais je ne le laisserai jamais te toucher, tant... Est-ce que je ne t'avais pas demandé de me ramener à l'ordre si je m'écartais du sujet ? s'irrita l'aïeule.

— Désolée, s'excusa Abi. Je n'ai pas fait attention.

— Bon. Quand tu hériteras de ma boîte d'ossements, il te faudra vivre à proximité d'un Ferdinand. Et il vaudra mieux ne pas avoir d'autres membres de ta famille avec toi. Sinon, ça t'enlèvera une part des bénéfices de la malédiction. Ça diviserait les bienfaits avec les autres personnes de ton sang. Moi-même, quand je n'avais pas la possibilité de me faire avorter, je laissais mon bébé à l'orphelinat. C'est là qu'Antonio, Ricky et ta mère ont grandi. Sinon, ils m'auraient siphonné tous les avantages de la malédiction. Autant se lancer dans l'élevage de sangsues ! railla la vieille femme en postillonnant de plus belle.

Abi ressentait maintenant un mélange d'affection et d'aversion pour sa grand-mère. Celle-ci enfilait les révélations et les confidences les unes après les autres, sans lui donner le temps de les assimiler.

— Mais pour toi, ce n'est pas la même chose, continua-t-elle sans réaliser le désarroi dans lequel elle plongeait sa petite-fille. J'ai voulu te faire profiter avec moi de la malédiction. Tes résultats scolaires sont devenus excellents depuis que tu habites ici. Tu avais remarqué ?

La jeune fille était de plus en plus troublée. Ses notes avaient effectivement augmenté après son arrivée dans la ville de Granby. Était-ce dû à la présence des ossements de son ancêtre ou bien à l'aide constante fournie par Fred, la meilleure amie qu'elle ait jamais eue ? Sa meilleure amie, et aussi sa demi-sœur.

— Et le maximum d'avantages nous arrive quand le premier enfant mâle Ferdinand approche de son treizième anniversaire et que son père décède. Encore plus de richesses, d'énergie et de longévité. Pour moi et pour toi !

Chapitre 6

Abi était demeurée assise au salon longtemps après le départ de sa grand-mère. Un véhicule adapté au transport des personnes handicapées était venu cueillir la vieille femme pour l'emmener au centre hospitalier. Elle y recevait des traitements trois fois par semaine.

Abi entendait encore les propos de sa grand-mère résonner dans sa tête. Ayant pris une décision, l'adolescente fouillait présentement les papiers et documents secrets de l'aïeule. Trouver les cachettes de la vieille femme était un loisir que l'adolescente pratiquait depuis son arrivée dans cette maison. Elle faisait une lecture rapide de photocopies de vieux parchemins quand, enfin, elle tomba sur ce qu'elle cherchait.

— Oui, c'est ça. Mais il ne me reste pas assez de temps pour expliquer ça à Fred avant le retour de grand-maman. Il vaut

mieux que j'aille faire cet appel dehors, décida-t-elle en saisissant le téléphone cellulaire offert par sa mère quelques semaines plus tôt.

Chapitre 7

— Je viens d'avoir une longue conversation au téléphone avec Abi, commença Fred.

— Je croyais que tu lui avais demandé de cesser de t'écrire et de t'appeler, s'étonna Lorie. As-tu l'intention de redevenir son amie ?

— Il ne s'agit pas de ça. Elle veut nous aider.

Levant les yeux de son roman, Lorie fixa sa cadette avec un brin de condescendance. Jacinthe donnait des cours aujourd'hui et leur frère avait un entraînement de soccer. Mais Lorie était convaincue qu'ils auraient dit comme elle, s'ils avaient été là.

— Fred, tu ne devrais pas l'écouter, à mon avis.

Elle se replongea dans sa lecture pour signifier que cette conversation avait atteint son terme. Mais un cri de surprise lui échappa lorsque le livre se referma brusquement

entre ses mains, sous le regard courroucé de Fred.

— Laisse-moi d'abord t'expliquer. Tu me diras ensuite ce que tu penses de son idée. Selon ce qu'Abi vient de découvrir, il existerait deux autres coffrets contenant des restes de Borellus. Sa grand-mère en possède un. Abi promet qu'elle va nous le donner pour que nous le détruisions quand elle en aura hérité. Mais pas avant. Elle ne veut pas trahir la confiance de sa grand-mère ni risquer de causer sa mort.

— Ce ne serait pourtant pas sa première trahison, laissa échapper Lorie avec irritation.

— Arrête. Elle a tout de même essayé d'empêcher ses oncles de nous voler le premier coffret. Je commence à trouver qu'on a été trop durs avec elle.

Sans prononcer un mot, sa sœur aînée lui jeta un regard exprimant clairement son désaccord avec ce dernier commentaire. Fred reprit son exposé :

— La trace du troisième coffret aurait été perdue dans le sud de la France, il y a plusieurs siècles. Les descendants de Borellus l'ont cherché sans jamais le trouver, semble-

t-il. Abi croit que tu pourrais découvrir son emplacement.

— Moi ?

— Oui, en allant dormir à l'église Saint-Honorat dans la ville d'Arles. C'est là que la boîte d'ossements aurait été dissimulée. Tu pourrais voir la cachette dans tes rêves. On saurait si quelqu'un a déniché et emporté les ossements, ou s'ils y sont toujours.

— Encore une église... Décidément...

— Je crois qu'on devrait essayer. Je veux dire, si ce coffret existe encore, ton don pourrait nous permettre de parvenir jusqu'à lui. On devrait partir toutes les deux là-bas. Moi, j'assurerais ta protection, au cas où. Et je t'ouvrirais les portes, au besoin...

Chapitre 8

— Il n'est pas question que vous me laissiez derrière, répéta Renaud.

Il recevait comme une insulte le fait de ne pas avoir été inclus dans ce projet. Jacinthe lui posa une main sur l'épaule. Le garçon se retourna pour argumenter, mais il décela plutôt de l'appui dans les yeux de sa tante. Lorie riposta sur un ton exaspéré :

— Renaud, ça va déjà être long d'économiser l'argent pour deux billets d'avion et nos frais là-bas. Ne complique pas les choses, s'il te plaît.

Edmond et Jacinthe ne parlaient pas, mais se dévisageaient avec sérieux.

Ce matin, leur tante les avait conduits à Senneterre, chez leur arrière-grand-oncle, afin de discuter avec lui de cette expédition à Saint-Honorat. Elle aurait bien aimé que père Jean participe aussi au conciliabule, mais celui-ci était retourné vivre dans sa

communauté religieuse à Montréal. Trop loin d'ici pour le moment.

— D'après vous, on peut se fier à Abi ? demanda Edmond du fond de sa chaise berçante récemment sauvée du dépotoir municipal.

— Elle est sincère, répondit Fred en lorgnant sa sœur. Abi a trouvé des documents roulés dans les tringles à rideaux de la chambre de sa grand-mère. Ces papiers contenaient une copie de la confession d'une veuve du dix-septième siècle. Son mari tuait des voyageurs solitaires s'arrêtant à leur auberge, pour les dépouiller de leurs biens. La femme a décrit un coffret de bois contenant des ossements qu'une de ces victimes trimbalait avec elle. Il semble être similaire à celui que nous avons récupéré à Cap-Santé. Et si la grand-mère d'Abi conservait secrètement ce document, c'est sûrement parce que cette boîte ressemble aussi à la sienne.

— Les filles, avez-vous des passeports ? s'informa Edmond.

— C'est à peu près tout ce qu'il nous reste de notre ancienne vie, dit Lorie. Ils étaient dans la mallette de documents

importants que nous avions apportés pour rencontrer le notaire à la lecture du testament. Ils ont échappé de justesse à l'incendie qui a brûlé notre maison, ce jour-là ! Et ils sont encore valides pour deux ans.

— Le mien aussi, s'empressa de préciser Renaud.

— Et le mien est encore bon pour quelques années, ajouta Edmond. On pourrait y aller tous ensemble. Ça ne devrait pas vous faire manquer plus d'une semaine d'école. Et toi, Jacinthe, ça te dirait, un voyage dans les vieux pays ?

— Pour le moment, ce serait un peu compliqué avec mon travail, mais dans un mois…

— Un mois ! s'écrièrent plusieurs voix à l'unisson.

— Non, reprit Edmond, il faut battre le fer pendant qu'il est chaud. Si tu es d'accord, je partirai seul avec les enfants. Je connais bien la France. J'y suis allé lorsque j'étais dans le « Royal 22e régiment », pendant la Seconde Guerre mondiale. Mais vérifions d'abord quelque chose, dit-il en abandonnant sa chaise qui continua de se bercer sans lui.

On le suivit des yeux. Le vieux garçon pénétra dans la pièce voisine et souleva le coin d'un lit fabriqué de madriers de bois. D'un trou foré à l'intérieur de la patte du lit tombèrent deux gros rouleaux de billets de cent dollars. Il les ramassa et les lança à Renaud.

— Ça devrait suffire à payer tous nos billets d'avion. Et si je peux me souvenir de mes autres cachettes, on n'aura pas à s'inquiéter de nos dépenses pendant notre séjour là-bas, ricana Edmond. Ne me remerciez pas. Je suis tellement économe que je ne sais plus quoi faire de mon argent.

— C'est bon, se résigna Jacinthe. Tu as l'air bien décidé à les accompagner là-bas. Commence à préparer tes bagages, conclut-elle en saisissant le bottin téléphonique. Si je peux vous réserver des places pour un vol vers la France, on repassera te prendre demain et je vous conduirai à l'aéroport de Montréal.

Chapitre 9

Fred hésita au moment d'enfoncer la touche. Elle refit une lecture rapide du message destiné à Abi, dans lequel elle la remerciait de son aide. Elle lui faisait aussi part de leur décision de suivre son conseil et de se rendre à l'église Saint-Honorat. Sans lui confier la date et l'heure du départ de leur avion, au cas où... L'adolescente avisait également Abi que toute leur correspondance serait lue par les autres membres de la famille Ferdinand.

Ce courriel lui semblait correct. Elle appuya sur le bouton, puis elle éteignit l'ordinateur et l'ampoule du plafonnier d'un même clin d'œil. L'adolescente courut ensuite rejoindre son frère et sa sœur, adossés contre la voiture de Jacinthe malgré le froid matinal. Leurs sacs à dos casés dans le coffre du véhicule, avec les autres, Renaud et Fred s'installèrent sur la banquette arrière. Après

avoir verrouillé la porte de sa maison, Jacinthe vint s'asseoir derrière le volant et Lorie prit place à côté d'elle.

Chapitre 10

Dans une chambre d'un hôtel miteux de la ville d'Amos, une femme prénommée Élisabeth eut un sursaut. Son ordinateur portable venait d'émettre un son strident, l'avertissant du déplacement du véhicule de Jacinthe. Elle ne s'alarma pas tout de suite. L'espionne reprit plutôt la lecture des instructions imprimées sur une boîte de teinture à cheveux.

Après tout, la Volkswagen s'était éloignée à plusieurs reprises depuis deux jours. La veille, elle était même sortie de la ville. La femme l'avait suivie de très loin, certaine de ne pas la perdre grâce à la puce du système GPS. Élisabeth se rappelait très bien la nuit où ses mains de pianiste avaient posé cette puce à l'intérieur du pare-chocs du véhicule de Jacinthe. Hier, il s'agissait d'une fausse alerte. La voiture n'avait pas continué en direction de Montréal. Elle s'était plutôt

rendue à Senneterre pour revenir ensuite au bercail. La femme voulait être certaine de bien comprendre les instructions. Il est normal d'être anxieuse la première fois que l'on se fait soi-même une teinture. Ses cheveux blonds à la coupe classique avaient besoin d'être rafraîchis depuis longtemps déjà et elle ne voulait pas rater son coup.

Élisabeth devrait patienter encore, toutefois. Le point rouge sur la carte affichée à l'écran venait en effet de s'orienter vers Montréal. Elle serait peut-être dans l'obligation de prendre la route à son tour. L'application du produit irait à plus tard. Elle souhaitait ce départ, cependant, car cela la rapprocherait du moment où son bébé lui serait rendu. Élisabeth n'avait jamais été séparée de lui aussi longtemps. Une larme déborda sur sa joue.

Chapitre 11

Le trajet jusqu'à l'aéroport Pierre-Elliott-Trudeau de Montréal s'était déroulé sans encombre. Les enfants, Jacinthe et Edmond se dirigeaient maintenant vers les portes menant au quai d'embarquement, quand une voix sévère se fit entendre :

— Arrête-toi, Edmond ! Avant de passer les détecteurs de métal, on va vérifier le contenu de ton bagage à main.

Père Jean était apparu derrière eux, habillé de son long vêtement de laine brun dont le capuchon reposait sur ses épaules. Il glissa ses pouces entre son maigre ventre et la rustique corde blanche qui lui servait de ceinture, avant de s'adresser de nouveau à son frère avec autorité :

— J'ai su que tu avais eu la brillante intention d'emporter un fusil dans tes bagages, marmonna-t-il pour ne pas attirer l'attention des douaniers. Et des bouteilles d'explosifs.

Edmond jeta un coup d'œil sur Jacinthe qui évitait son regard. Elle ne parvenait toutefois pas à s'empêcher de sourire en contemplant le sol. Lorie, Fred et Renaud n'osaient parler. L'accusé reporta son attention sur son frère aîné.

— Ce n'était pas un fusil, précisa-t-il d'un ton moqueur, mais bien une carabine Lee-Enfield. Et il n'a jamais été question d'explosifs : ce sont des bombonnes d'acide fluorhydrique que j'avais mises dans ma valise. De toute façon, je ne vois pas où est le problème : Jacinthe m'a déjà obligé à les laisser chez moi.

— Vide ton bagage à main sur ce siège, insista le moine à l'abondante barbe grise.

Edmond dévisagea père Jean un moment. Son crâne chauve laissait voir un front plissé par l'âge et la détermination. Et ses yeux bleus le foudroyaient derrière des lunettes d'une autre époque. Il valait mieux obéir. Edmond lui plaqua son sac sur la poitrine sans cesser de soutenir son regard.

— Ah ! ah ! triompha père Jean dès qu'il eut plongé sa main osseuse parmi les effets personnels de son cadet.

— N'en fais pas trop, quand même, grommela Edmond en voyant son frère jubiler.

Père Jean rendit finalement le sac à son propriétaire. Edmond regarda avec tristesse les objets qui en avaient été enlevés : un couteau dont Rambo aurait pu être jaloux, un rasoir sabre dont la grande lame pouvait s'escamoter dans son manche et un flacon de gros gin. Discrètement, Jacinthe fit disparaître le tout dans les poches intérieures de son manteau.

— On peut y aller maintenant ? s'impatienta Edmond.

Jacinthe marmonna dans l'oreille de père Jean, qui acquiesça avant d'émettre un autre ordre :

— Vide d'abord tes poches.

— Quoi ? s'offusqua Edmond.

— Vide tes poches, je te dis, réitéra le moine.

Son frère obtempéra à contrecœur. Jacinthe s'empressa de subtiliser une dizaine de cartouches de calibre .303 et un antique couteau suisse.

— C'est étonnant, tout ce que l'on traîne sur soi sans même y penser, commenta

Edmond avec un sourire gêné. Bon, on vous dit au revoir, sinon vous allez finir par nous faire manquer notre avion.

— Je pars avec vous, coupa père Jean en exhibant son billet et son passeport. Tu viens de nous prouver que personne n'est en sécurité avec un délinquant de ton espèce. Il restait suffisamment de sièges libres dans l'avion, j'en ai même obtenu un tout près de toi. Et vous, les enfants, comment allez-vous ? dit-il en souriant pour la première fois tout en les entraînant vers le quai d'embarquement.

Sous le choc, Edmond regarda son frère s'éloigner en prenant les jeunes Ferdinand par les épaules. Son énorme chapelet de bois, accroché au cordon qui lui ceinturait la taille, frappait sa cuisse gauche à chaque enjambée.

— Je te revaudrai ça, Jacinthe, lui lança Edmond pendant qu'elle saluait de la main le groupe de Ferdinand.

Puis il l'embrassa rapidement sur la joue et courut les rejoindre.

Chapitre 12

Le vol de nuit pour Marseille, leur destination en France, se passa sans difficulté. Edmond, père Jean et Renaud s'endormirent rapidement. Dans l'intention de se priver de sommeil, Lorie hésitait entre lire ou regarder un film.

Quant à Fred, assise à ses côtés, elle s'était laissé entraîner dans une conversation avec un passager de la rangée de sièges voisine. Son impression se confirma rapidement : cet adulte, jeune et beau, s'intéressait plus à sa sœur qu'à elle.

— Bon, je crois que j'ai besoin de dormir un peu, mentit-elle pour mettre fin à l'entretien.

Lorie lui asséna alors un discret coup de coude pour attirer son attention. Sa sœur cadette ne fut pas longue à comprendre qu'elle souhaitait qu'elle lui cède son siège, au grand bonheur du garçon.

Assise à l'arrière de l'avion, Élisabeth observait ce type aux cheveux blonds et bouclés.

Il essaie de séduire Lorie, se dit-elle. *Ça pourrait compliquer la situation.*

Chapitre 13

— Abi, tu ne te concentres pas ! la rabroua sa grand-mère. Si tu veux apprendre à maîtriser le jeu de tarot, il va falloir faire plus d'efforts.

Surprise par le ton de la vieille femme, Abi s'excusa. Le turban que sa grand-mère s'acharnait à porter lui était encore une fois tombé sur les yeux. Son visage étiré par la chirurgie esthétique rendait hasardeuse toute tentative d'y lire une expression. Abi reporta son attention sur les cartes étalées sur le pouf. Impossible de se rappeler si elle devait communiquer avec une personne décédée ou prédire l'avenir.

— Ce n'est pas ma faute, grand-maman, je n'arrête pas de penser à la malédiction. Tu peux m'en parler encore ?

— Tu commences à t'y intéresser, on dirait, s'enthousiasma la femme en replaçant son turban vert lime. J'ai tout préparé pour nous deux. Tu veux voir ?

L'adolescente se contenta de hocher la tête. La vieille femme plongea sa main valide entre les colliers suspendus à son cou et en ressortit une clef USB attachée au bout de l'un d'eux.

— Là-dedans, il y a toute l'information que j'ai pu recueillir sur les Ferdinand. C'est-à-dire les photos et les adresses de tous ceux que l'on a répertoriés à l'aide du contenu de l'ordinateur de Mathieu. Sans oublier les Ferdinand que Ricky a photographiés à ses funérailles. Nous aurions pu vivre encore longtemps auprès de Lorie, Fred et Renaud après le décès de leur père, si cet imbécile d'Antonio n'avait pas incendié leur maison. Mais de toute façon, il aurait fallu trouver une autre famille auprès de qui nous installer, un jour. Une famille avec un jeune enfant mâle qui n'est pas encore orphelin, c'est mieux. D'ailleurs, dès que j'aurai fait mon choix et que j'aurai retrouvé un peu de ma forme, nous déménagerons. Et plus tard, quand je ne serai plus de ce monde, tu n'auras qu'à continuer le même manège : choisir d'autres familles auprès desquelles tu t'établiras pour profiter au maximum de la malédiction. L'important, c'est de ne pas commettre l'erreur de t'attacher à eux comme tu l'as fait avec la famille de Fred.

Abi sentit de lourds reproches dans la voix de son aïeule. La vieille femme la dévisagea longtemps avant de reprendre la parole :

— N'oublie jamais, Abi, que les Ferdinand ne sont que du bétail pour nous. Rien ne sert de s'attacher à des animaux destinés à l'abattoir.

— Qu'arriverait-il si je me mariais avec un Ferdinand ? Ce serait tout de même plus simple pour être toujours à proximité du « bétail ». Et si j'avais un enfant avec un Ferdinand, il se passerait quoi ?

— Tu t'arranges pour vivre près d'eux, c'est suffisant ! Se faire engrosser par un Ferdinand ? Je ne veux plus entendre de telles bêtises, Abi !

— Désolée ! C'était seulement une question, se défendit-elle.

— À ma connaissance, ça ne s'est jamais produit, reprit la grand-mère en se radoucissant à peine. Est-ce que cet enfant profiterait de la malédiction ou alors en subirait-il les

conséquences ? Je n'en ai aucune idée, mais je te conseille de ne pas essayer. Tu as assez gaffé jusqu'à aujourd'hui. Fais seulement ce que je te dis de faire. C'est mieux ainsi.

— Je suis d'accord. Mais si la famille près de laquelle on s'établit déménage continuellement comme Mathieu le faisait, il sera vite impossible de les suivre sans être remarqués. En tout cas, il faudrait être drôlement futé pour y arriver sans qu'ils s'en aperçoivent. Qu'est-ce que tu as, grand-maman ?

La vieille semblait soudainement prise de convulsions. Ses épaules faisaient de petits bonds rapides. Son turban se déplaçait au même rythme de tous les côtés. Abi allait se lever pour appeler de l'aide lorsqu'un éclat de rire l'arrêta.

— Tu es tellement drôle, mon petit trésor, pouffa l'aïeule en s'épongeant les yeux. Tu as le don de choisir les meilleurs exemples.

L'adolescente ne comprenait rien à cette crise d'hilarité ni à ces propos. Elle regarda la femme rigoler toute seule un long moment avant de s'enquérir :

— Tu suivais déjà Mathieu Ferdinand et ses enfants avant leur retour au Québec ? Grand-maman, réponds-moi, s'il te plaît.

L'aïeule ne parvint pas à parler, mais hocha la tête, faisant choir son turban sur ses genoux. Reprenant son souffle, elle reposa la coiffure verte sur ses cheveux clairsemés et se lança dans une explication avec une étincelle d'amusement dans ses yeux inondés de larmes.

— J'étais la voisine de Mathieu Ferdinand depuis longtemps quand sa femme est décédée des suites de l'accouchement de Renaud. Je n'ai pas eu de difficulté à me faire engager comme nourrice à ce moment-là. Mathieu était tellement dépourvu, anéanti par la mort de sa femme. Lorsqu'il a décidé de partir travailler au Maroc, j'ai joué la corde sensible pour qu'il m'emmène avec les enfants.

— Tu étais donc la nourrice de Fred, Lorie et Renaud ! l'interrompit Abi. C'était toi, cette Félicité dont ils parlaient ?

— Évidemment, mon poussin, répondit la vieille avec fierté. Je les ai accompagnés partout par la suite : au Gabon, au Vietnam, au Venezuela et aux États-Unis.

— Mais, tu m'as toujours dit que tu vivais en Inde, d'un commerce de thé…

— L'Inde ? Je n'y ai jamais mis les pieds. Et pas besoin de travailler quand tu profites de la malédiction. La proximité des Ferdinand m'a enrichie un peu plus chaque jour. Avec mon salaire, j'achetais des actions en Bourse. Je récoltais des profits énormes partout où j'investissais : dans l'armement, dans l'industrie pharmaceutique, dans n'importe quoi ! Je n'y connaissais rien et je faisais fortune quand même, grâce aux vieux os de Borellus.

— Il fallait tout de même que tu t'occupes des enfants de Mathieu et de la maison, mentionna Abi.

— Oui, au début, un peu. Mais Lorie avait déjà sept ans. C'est impressionnant, la somme de travail que peut fournir une enfant de cet âge quand on sait s'y prendre avec elle. Et puis, ils ont grandi tous les trois. Fred et Renaud ont fait leur part eux aussi. De toute façon, j'obtenais tellement d'énergie à vivre à leurs côtés que je pouvais me saouler et danser toute la nuit. Je reprenais le travail le lendemain, fraîche et dispose, sans avoir dormi une seule heure.

— Et comment les Ferdinand peuvent-ils ne pas t'avoir reconnue quand tu es venue t'installer ici, face à leur maison ? s'étonna Abi. Surtout Fred, elle était toujours avec moi.

— Tout d'abord, à notre retour de l'étranger, je leur ai fait croire que je les quittais pour aller vivre en Ontario. En réalité, je suis allée dans une clinique de Montréal pour subir une transformation de mon visage par chirurgie. Et puis, j'ai changé mon look. J'aime bien ces turbans et ces bijoux. Quant à la petite Fred Ferdinand, je lui parlais le moins possible lorsque tu l'invitais ici et je lui faisais sentir que je ne l'aimais pas. Ainsi, elle m'évitait autant qu'elle le pouvait.

Abi réalisait maintenant que pendant toutes ces années de correspondance avec sa grand-mère, par courrier postal puis par Internet, leurs échanges avaient été inégaux. Alors que la vieille femme ne cessait de lui demander des photos d'elle, Abi n'en recevait jamais aucune. Pas étonnant qu'elle n'ait jamais fait de lien entre sa grand-mère et cette Félicité aperçue sur les photos de famille des Ferdinand. Abi ne pouvait s'empêcher de penser à la surprise de Fred lorsqu'elle lui apprendrait cette nouvelle.

Chapitre 14

— C'est le garçon aux cheveux blonds là-bas, murmura Élisabeth en désignant le jeune adulte avançant dans le couloir avec les autres passagers. Celui avec la veste de cuir noir.

Le douanier s'étira le cou, sans émettre un son. Élisabeth se mordit la lèvre inférieure et pencha la tête de côté, l'air suppliant.

— Il n'a pas cessé de me harceler pendant tout le voyage. Il voulait m'amener consommer de la cocaïne dans les toilettes. J'ai refusé, bien sûr.

L'homme en uniforme sembla soudainement plus réceptif.

— Je ne lui veux pas de mal. Il faut que jeunesse se passe, continua Élisabeth. Mais si je pouvais quitter l'aéroport sans craindre qu'il me suive, je serais beaucoup plus tranquille.

— On s'en occupe, madame, laissa enfin tomber le fonctionnaire en faisant un signe à un collègue accompagné d'un chien en laisse.

Après de chaleureux remerciements, elle s'éloigna. Elle reprit un pas plus rapide au moment où les Ferdinand la dépassèrent en direction du hall 4.

Chapitre 15

À l'aide d'un mouchoir, Élisabeth épongea le sang coulant de son genou et de la paume de sa main droite. Au stationnement de l'aéroport de Montréal, elle avait récupéré la puce de la voiture de Jacinthe avec plus de facilité. Avec classe, aussi. Regardant les Ferdinand s'éloigner, elle avait fléchi les genoux en gardant le dos bien droit et elle avait glissé sa main à l'intérieur du pare-chocs. Mais, à l'aéroport de Marseille, il lui avait fallu agir très vite. La famille Ferdinand allait partir dans la petite Peugeot 107 louée par le père Jean. Élisabeth avait couru, valises à la main, et elle avait simulé une chute derrière leur voiture. Elle avait si bien joué son rôle que ses bas de nylon en étaient irrécupérables. Pour sa jupe, il serait peut-être possible de la porter de nouveau après en avoir reprisé l'accroc. Encore une chose à apprendre.

Les Ferdinand n'avaient pas eu le temps de l'aider. Élisabeth avait roulé sur le dos, posé la puce aimantée sous la voiture et s'était relevée aussi sec. Agrippant ses bagages, elle avait ensuite couru jusqu'au bureau de location des véhicules sans répondre à Edmond et Lorie, qui tentaient de s'informer de son état.

Maintenant assise dans une Twingo, la plus modeste voiture disponible à l'agence de location, elle pouvait souffler un peu. L'ordinateur posé sur le siège du passager lui affichait le trajet emprunté par la Peugeot des Ferdinand.

Élisabeth était convaincue de ne pas avoir été repérée lors de la pose de la puce. Elle se trompait. À travers la visière de son casque, assis sur une Yamaha X Max 125, le garçon blond ne la quittait pas des yeux. Un peu plus tôt, il avait dû laisser s'éloigner Lorie et sa famille, car deux douaniers l'avaient pris en grippe. Après avoir subi une fouille inutile, il avait tenté de rejoindre Lorie pour la remercier de leur agréable conversation. Mais au moment où la jeune femme s'assoyait dans une voiture, il s'était arrêté. La dame blonde qu'il avait aperçue

avec le douanier s'était mise à courir vers les Ferdinand. Il l'avait bien vue se livrer à son étrange cascade et poser quelque chose sous leur voiture.

Chapitre 16

Dans la ville d'Arles, père Jean marchait dans les Alyscamps. C'est ainsi que le dépliant touristique nommait cette allée de sarcophages de pierre. Il regrettait d'avoir omis d'apporter un appareil photo, dans la précipitation de son départ. De si belles pièces d'origine grecque ou romaine reposaient là. Certaines avec leur couvercle, d'autres non. Quelques-unes étaient intactes, d'autres pas. Elles s'élevaient des deux côtés de l'allée extérieure menant à l'église Saint-Honorat.

Lorie dormait maintenant dans le vieux bâtiment religieux, couchée dans un coin, sous la surveillance de sa sœur et d'Edmond. Renaud, lui, errait avec père Jean parmi les cercueils de pierre exposés aux intempéries depuis des siècles, sans toutefois avoir les préoccupations historiques et artistiques du moine. Il faisait à peine treize degrés

Celsius. Les passants semblaient trouver ça froid, mais pour les Ferdinand, c'était plus confortable que la température du Québec au moment de leur départ. Père Jean avait d'ailleurs troqué ses bottes contre une paire de sandales dans laquelle il conservait tout de même ses bas.

Ils avaient cru que Lorie s'endormirait rapidement puisqu'elle était restée éveillée depuis leur départ de Montréal. Dans la petite voiture européenne louée à l'aéroport de Marseille, ils l'avaient aidée à ne pas fermer l'œil pendant le trajet. Mais une fois installée dans un endroit discret de l'église, la tête appuyée sur le chandail roulé de sa sœur, Lorie n'avait réussi qu'à somnoler de très brefs instants. Deux heures s'étaient écoulées depuis qu'on l'avait laissée seule avec Fred et Edmond.

— Ça n'a pas fonctionné, dit Lorie en se levant.

Les traits bouffis, le visage marqué par son oreiller improvisé, elle se dirigea vers père Jean qui accourait à sa rencontre.

— Je n'ai rien vu dans mon sommeil. Rien qui puisse nous être utile, en tout cas. Des ouvriers et des religieux du Moyen Âge,

mais ils ne faisaient que passer. C'est comme si le coffret d'ossements n'avait jamais été ici, déplora Lorie.

— Qu'est-ce qu'on fait maintenant ? s'informa Edmond en les rejoignant, les mains enfoncées dans les poches, suivi de Fred.

Personne ne pipa mot pendant plusieurs secondes.

— Je vais contacter Abi, annonça Fred. Je vais lui demander de numériser le texte de la confession de la femme du Moyen Âge. On pourra peut-être y trouver un indice.

— Je ne fais pas confiance à ta copine, laissa tomber Lorie de sa voix endormie. Mais il faut essayer, sinon nous aurons survolé l'Atlantique pour rien.

Chapitre 17

Les deux vieillards, Lorie et Renaud n'avaient eu aucune difficulté à dénicher une table à la terrasse d'un restaurant avec vue sur l'amphithéâtre romain. Ce n'était pas la saison touristique à Arles et les clients se faisaient rares. Fred était retournée à l'intérieur après leur avoir remis les données envoyées par Abi, imprimées sur deux feuilles. L'adolescente se réinstalla devant l'un des ordinateurs destinés aux clients. Le visage d'Abigaël était toujours visible à l'écran, attendant son retour.

— Ça y est. Je suis revenue, dit Fred.

— J'espère que vous trouverez quelque chose pour vous aider dans ce document. Mais à vrai dire, il n'y a pas beaucoup plus que ce que je vous avais décrit.

— On verra bien.

— Fred?

— Quoi?

— Maintenant que tu me fais un peu plus confiance, je pense que le temps est venu de te révéler autre chose.

— Vas-y, la pressa Fred, intriguée.

— Tiens-toi bien, car tu risques de tomber en bas de ta chaise.

Et Abi lui expliqua tout sur la réelle identité de sa grand-mère. Puis, tandis que Fred était encore assommée par cette révélation, elle l'acheva en lui dévoilant leur lien de parenté. Elle lui raconta en détail sa découverte des photos et les aveux de sa mère. À l'écran, Fred pouvait voir dans la main d'Abi la photographie subtilisée à Dolorès : son père et la mère d'Abi, enlacés et souriant à la caméra. Fred demeurait silencieuse, assaillie par des sentiments contradictoires. Choquée de l'infidélité de son père, mais heureuse d'apprendre que celle qui redevenait sa meilleure amie était aussi sa demi-sœur. Elle réussit à s'arracher à son mutisme.

— Abi, numérise la photo. Je vais la montrer au reste de la famille. Sinon, personne ne voudra me croire.

— Tout de suite, accepta sa demi-sœur avec un sourire toujours grandissant.

Au même moment, le téléphone cellulaire d'Abi sonna. Tout en plaçant la photographie sur le numériseur, l'adolescente répondit :

— Allô.

— Abi ! s'exclama Dolorès.

— Maman ?

— Es-tu chez ta grand-mère ? Réponds ! Vite !

— Mais oui, fit Abi, alarmée par la panique teintant la voix de sa mère. Pourquoi ?

— Antonio est en route pour t'y chercher. Sauve-toi !

— Quoi ?

— Ne perds pas de temps, sors de là ! Ton oncle s'est mis dans la tête que tu complotais encore avec les Ferdinand. Il dit que tu les aides à retrouver des restes de Borellus disparus en France. J'ai bien essayé de le raisonner et de lui faire comprendre qu'il s'imagine des choses. Ça n'a servi à rien. Il approchait de Granby quand il a raccroché. Il était hors de lui. Il va te tuer s'il réussit à t'attraper !

— Mais…, balbutia Abi en essayant de comprendre comment Antonio pouvait savoir tout ça.

— Je suis à Montréal, mais j'appelle Ricky pour qu'il aille te chercher tout de suite. Sors par la porte arrière et va le rejoindre dans l'autre rue. Va-t'en, ma chérie, je t'en supplie.

Elle avait raccroché. Abi, hébétée, regarda Fred dans le moniteur. Son amie avait capté suffisamment des cris de Dolorès pour comprendre ce dont il était question.

Abi se rua dans sa chambre pour troquer son pyjama contre des vêtements. Revenue devant l'écran, elle essaya sans succès d'envoyer la photographie numérisée pour que Fred puisse l'imprimer.

— Je n'y arrive pas, Fred ! Je n'y arrive pas !

— Laisse tomber et sors de là ! Tu feras ça plus tard. Cours !

Abi suivit le conseil de son amie et fila jusqu'au vestibule. En glissant ses pieds nus dans ses bottes Doc Martens aux caps en acier, elle jeta un rapide coup d'œil par la fenêtre. Une voiture tournait le coin de la rue en faisant crier ses pneus. Pas question d'attendre de savoir s'il s'agissait d'Antonio.

— Où est-ce que j'ai mis mon manteau ? murmura-t-elle en s'assurant que la porte avant était bien fermée à clef.

Ne le trouvant pas, Abi empoigna une veste trop légère et aussi noire que le reste de ses vêtements. Puis elle ramassa au passage son téléphone cellulaire. L'adolescente s'en servit pour poser la photographie de sa mère et Mathieu. Puis elle glissa le tout sous sa veste. Une fois hors de la maison et cachée dans un buisson en attendant Ricky, Abi pourrait envoyer la photo à Fred par Internet. Sans plus attendre, elle se précipita sur la porte de derrière, qu'elle ouvrit à la volée… et perdit le souffle en percutant le torse d'un homme.

— Viens par ici, toi ! entendit-elle pendant qu'elle se sentait soulevée de terre.

Chapitre 18

— Désolée, Fred. Abi ne me fera pas avaler ça, annonça Lorie avec une colère contenue.

— C'est quoi, le problème ? s'emporta sa jeune sœur.

— Ce n'est pas crédible ! continua Lorie. Tout d'abord, cette histoire de Félicité qui serait la grand-mère d'Abi, c'est n'importe quoi.

— J'ai vu sa grand-mère beaucoup plus souvent que toi, se défendit Fred. Elle s'est fait refaire le visage pour ne pas être reconnue, mais c'est bien sa silhouette. Je suis certaine qu'Abi dit vrai.

— Si la grand-mère d'Abi et Félicité sont la même personne, ça expliquerait certaines choses, avança timidement Renaud.

— Elle a encore réussi à t'avoir, Fred, reprit Lorie sans prêter attention à son frère.

Abi te fait croire tout ce qu'elle veut. Si tu décides d'embarquer là-dedans, ça te regarde, mais ne viens pas salir la mémoire de papa.

Devançant une inévitable réplique de la part de Fred, Lorie s'empressa d'enfoncer le clou :

— Allume, petite sœur. Tu ne trouves pas ça étrange ? Juste au moment où tu lui demandes de t'envoyer la photo, plus rien ne fonctionne. Et elle doit se sauver tout de suite, en plus.

— Ça ne s'est pas passé comme ça ! éclata Fred.

Un client sortant du restaurant sans refermer la porte comme il aurait dû entendit celle-ci claquer derrière lui avec violence. Rattrapant de justesse son sandwich, il vit l'air courroucé de Fred et continua son chemin sans plus s'en préoccuper. Edmond, qui sirotait un café, esquissa un sourire.

— Arrêtez un peu, vous deux, intervint finalement père Jean tout en lançant un coup d'œil sévère à son frère.

Lorie et Fred s'affrontèrent du regard sans parler. Renaud repoussa le reste de son

sandwich aux rillettes parmi les verres et Edmond haussa les épaules en déposant sa tasse.

— On n'arrivera à rien comme ça, les filles, déplora le moine. Fred, je ne crois pas qu'Abi soit de mauvaise foi. Mais on a raison de se méfier de sa famille.

L'adolescente ne réagit pas. Père Jean reprit la parole :

— J'ai bien étudié le document d'Abi. Malheureusement, ça ne nous aidera pas. Ce texte a été rédigé bien après la disparition du coffret d'ossements. Le responsable d'un monastère de la région y parle de la confession d'une veuve faite plusieurs années auparavant. Elle avait accusé son défunt mari d'avoir tué des voyageurs solitaires de passage à leur auberge. La vieille dame aurait mentionné le meurtre d'un pèlerin, en 1611, qui avait en sa possession un reliquaire contenant les restes calcinés d'un saint. La femme était terrorisée à l'idée de commettre un sacrilège en détruisant ces preuves embarrassantes. Elle aurait convaincu son époux d'aller cacher les os dans l'église Saint-Honorat.

Constatant que Lorie et sa sœur ne se dévisageaient plus, père Jean continua plus lentement, un peu soulagé :

— Le responsable du monastère était fasciné par les aveux déjà anciens de cette femme. Il était convaincu que les ossements dont elle parlait étaient les reliques d'un saint, auparavant conservées dans la ville d'Orange. Il rappelle qu'en 1561 des protestants s'étaient emparés par la force des églises et de la cathédrale d'Orange. Ils avaient brûlé la totalité des signes du catholicisme, en particulier les reliques des saints. Il croyait donc que ces os calcinés étaient ceux d'un saint, sauvés de l'incendie. Et il voulait se les approprier pour son monastère. C'est très intéressant sur le plan historique, mais le site de l'auberge n'est pas mentionné. Ni les noms de la femme et de son mari. Bref, nous ne sommes pas plus avancés.

— J'ai peut-être une solution, proposa Renaud après quelques minutes de silence.

Chapitre 19

Ricky finit d'aider Abi à se relever. Ce fut un miracle qu'elle puisse ramasser son téléphone cellulaire et la photo, échappés sous la force de l'impact. Encore étourdie, Abi le suivit en courant jusqu'à la voiture. Elle ne l'avait jamais vu si pressé, surtout handicapé par un plâtre. La peur de tomber face à face avec son frère devait y être pour beaucoup. La vitesse avec laquelle il conduisit sa Porsche aurait pu lui valoir une très lourde contravention. Une fois à destination, à l'intérieur de ce qui ressemblait à un entrepôt, Ricky ne sembla pas vouloir se calmer pour autant.

— Cache-toi là ! Et surtout, ne fais pas de bruit. Antonio va peut-être te chercher ici aussi.

Son oncle poussa Abi dans une pièce encombrée de projecteurs. Il referma la porte derrière elle. L'adolescente se mit

bientôt à se frotter les bras en grelottant : la pièce était mal chauffée. Elle sentit son téléphone cellulaire sous sa veste et l'en retira. C'est seulement à ce moment qu'Abi réalisa qu'il ne fonctionnait plus. La chute avait dû lui avoir été fatale.

Ses yeux explorèrent l'endroit, à la recherche d'un vêtement ou d'une couverture. La pièce était grande et se composait de quatre décors différents. Un cabinet de médecin, une chambre de torture médiévale en fausses pierres, une chambre de fillette aux horribles tons de rose et une minuscule classe d'élèves meublée d'un bureau de professeur et de quatre pupitres.

— D'accord, murmura Abi en plissant les lèvres avec dégoût. C'est le studio où mon oncle tourne ses films pornos.

Elle empoigna le sarrau blanc suspendu à la patère du local de médecin et l'enfila pour se réchauffer. La jeune fille en huma le collet, hésita, et le retira pour le lancer sur la table d'examen. La sonnette de la porte d'entrée retentit à ce moment, faisant sursauter Abi.

Percevant le début d'une conversation de l'autre côté de la porte, elle alla y coller

l'oreille. Ce n'était pas Antonio. Ou si c'était lui, il parlait maintenant avec une voix de fillette. Abi put saisir qu'une cliente était là pour des photos de passeport. Par curiosité, elle tourna la poignée pour tenter de l'apercevoir.

— Il m'a enfermée ici, ce débile! grogna-t-elle en tirant vainement.

Sans bruit, Abi alla chercher un petit miroir d'examen buccal et un stéthoscope dans le bureau de médecin. Elle glissa le miroir sous la porte de façon à voir l'autre pièce.

— Je la connais, celle-là, se dit l'espionne, en apercevant la jeune fille.

Abi ignorait son nom, mais elle la croisait parfois à la polyvalente sans jamais lui parler. Une élève probablement gentille, mais au physique plutôt ordinaire qui faisait qu'on ne la remarquait pas beaucoup.

Ayant ajusté les embouts du stéthoscope sur ses oreilles, elle appliqua ensuite l'autre extrémité contre la porte. La voix de son oncle Ricky lui parvint avec plus de clarté.

— Tu as vraiment quelque chose de plus que les autres. C'est dans ton regard, ton attitude, ton sourire. Je te le dis, il y a

des années que je n'ai pas vu une fille avec autant de potentiel que toi. Tu es tellement jolie. Tu le sais que tu es belle, n'est-ce pas ?

À l'aide du miroir, Abi voyait la victime naïve rougir sous les compliments. Tout en tripotant un anneau en or récemment ajouté à son sourcil gauche, Ricky continuait de roucouler. Abandonnant le stéthoscope et le miroir, Abi s'adossa contre la porte, envahie par le dégoût.

Chapitre 20

— Renaud prend de l'assurance, chuchota Lorie dans l'oreille d'Edmond.

— Quoi ?

Observant lui aussi Renaud et Fred en train de s'étendre sur le sol, aux pieds de père Jean, le vieil homme avait sursauté.

— Je disais que Renaud prend de l'assurance, répéta Lorie. Il devient plus courageux. Il m'a vraiment surprise en insistant pour retourner dans le monde du sorcier Borellus.

— Il est vrai que Borellus a tendance à en profiter pour réanimer des cadavres et les lancer à nos trousses, acquiesça-t-il. Il n'y a rien de réjouissant à l'idée de se faire attaquer par des corps humains à moitié décomposés.

— Sans oublier l'orignal zombie, renchérit père Jean en se joignant à eux. Si tu

avais pu voir ce monstre, frérot. Heureusement, on ne s'expose pas à ce genre de danger par ici.

Renaud avait en effet suggéré de revenir sur le site des Alyscamps. Comme il l'avait compris, c'était un bon endroit pour reprendre contact avec leur ancêtre Zéphirin. Il n'y avait pas eu d'inhumation récente, ici. Toutefois, d'innombrables corps, maintenant réduits en poussière, y avaient été ensevelis par le passé, ce qui était indispensable pour accéder à l'antre du sorcier. Bref, ils avaient là un lieu sûr. Ils l'espéraient tous, du moins.

À la demande de Fred et de Renaud, le moine s'était éloigné d'eux pour les laisser se concentrer sur le bref rituel qui leur permettrait, encore une fois, de parvenir au monde de Borellus. À plat ventre, allongés tête contre tête, ils se tenaient les mains.

— Voilà, c'est fait, annonça Lorie en désignant son frère et sa sœur, maintenant inconscients à l'ombre des cyprès. Il n'y a plus qu'à attendre leur retour et à ouvrir l'œil.

Chapitre 21

Monsieur Joseph dormait d'un sommeil réparateur dans son minuscule logis en banlieue d'Arles. Unique gardien de nuit sur le site des Alyscamps, il avait bien fait son travail, aujourd'hui.

Comme d'habitude, cigare à la bouche, Alfred Joseph avait attendu l'arrivée des premiers membres du personnel de jour avant de quitter les lieux. Ces gens voyaient en lui un individu quelconque, obèse, chauve et timide. Personne ne se doutait qu'il dissimulait un engin meurtrier dans son énorme boîte à lunch. Ce pistolet à air comprimé, une réplique du célèbre modèle Beretta 92, était équipé d'un silencieux en aluminium et d'une lunette de visée illuminant d'un point rouge la cible à abattre. Il n'y avait plus qu'à presser la détente et le plomb propulsé par une puissance de 4,7 joules touchait l'ennemi à tout coup.

Quotidiennement, dès la première lueur matinale, Alfred s'empressait d'extraire le Beretta noir du double fond dissimulé sous les restes de son repas. Empoignant la crosse à deux mains, il quittait sans bruit le bâtiment principal et en longeait le mur jusqu'au coin. Les ennemis étaient souvent postés là, sur le toit de l'autre édifice. En général, monsieur Joseph parvenait à éliminer deux ou trois pigeons avant que ceux-ci ne s'envolent en panique. Usant ensuite de ruse, Alfred envoyait tournoyer un sandwich jusqu'à un endroit dégagé entre les allées de sarcophage avant de se plaquer de nouveau contre le mur. Il attendait patiemment en fredonnant dans sa tête la chanson thème des films de James Bond. Chaque oiseau se laissant tenter par l'appât mourait immanquablement.

Le gardien pouvait remplacer le chargeur de huit projectiles plus d'une fois au cours d'une matinée chanceuse. Et les derniers jours avaient été particulièrement bons pour la chasse. Camouflés dans des sacs de plastique, les nombreux cadavres de pigeons, mais aussi de goélands et de corneilles, emplissaient les poubelles du

site en attendant d'être emportés par les éboueurs vers leur dernière demeure.

Chapitre 22

Assis sur le plus élevé des arbres déracinés, Crétin sursauta en percevant le grincement des gonds. Il descendit de son perchoir et entreprit d'observer, à travers l'amas de troncs et de pierres, l'ouverture de l'énorme porte qui ne cessait de s'agrandir. Il voyait pour la première fois ce qu'il y avait de l'autre côté du mur: c'est-à-dire pas grand-chose. Du brouillard, comme ici, et une pente sablonneuse. La voix de Renaud lui parvint au même moment où il vit émerger le garçon de la brume en compagnie de sa sœur.

— Ça a changé, Fred. Tu as vu ça?

— Ça ne m'inspire pas confiance, commenta l'adolescente en scrutant l'amoncellement de bois et de pierres bloquant partiellement l'entrée. On devrait laisser tomber.

— Pas question, répondit-il en dépoussiérant ses vêtements.

Sans attendre, Renaud escalada la barricade. Personne en vue. Une brise se mit à souffler, dégageant du brouillard un chemin sinueux et mal pavé.

— Ce n'est plus du tout comme lors de notre dernière visite, chuchota-t-il à l'intention de Fred. Je ne pensais pas que tout pouvait changer à ce point dans le monde des morts. C'est complètement désert, à part un rocher bizarre, là-bas. Je vais m'y rendre tout de suite. Si Borellus arrive, tu fais comme on a prévu. D'accord ?

— Fais ça vite, bougonna-t-elle en guise de réponse.

En deux sauts, Renaud atterrit sur le sol, dans le territoire du sorcier. L'odeur de moisissure et de renfermé y était plus prononcée que là où il laissait sa sœur. Il sentit le brouillard lui glisser sur la peau, dressant le duvet de ses avant-bras et y déposant de fines gouttelettes. L'adolescent n'avait jamais fait l'expérience de marcher dans cinq centimètres de gruau refroidi, mais, malgré l'allure solide des pavés, se déplacer sur ces pierres lui suggérait chaque fois cette image. À peine s'était-il éloigné

de quelques enjambées qu'un cri de sa sœur le fit se retourner.

— Il est là, Renaud ! Borellus est là !

Le sorcier, toujours accoutré de sa veste rouge et de collants aussi verts que son chapeau emplumé, faisait face à Fred. Il eut le temps d'esquisser un large cercle avec sa main décharnée, en direction de la jeune Ferdinand, tout en commençant à réciter une phrase à consonance étrange. Elle savait, par expérience, que cela avait le pouvoir de ressusciter des cadavres dans le monde réel. Aussi, sans perdre une seconde, l'adolescente lui claqua la porte au nez, comme convenu. Sous l'œil mauvais de Crétin, debout derrière Borellus, Renaud se mit à courir dans la direction opposée, en espérant que sa sœur avait agi assez rapidement pour contrer l'attaque du sorcier.

Chapitre 23

Le couvercle de la poubelle se souleva à trois reprises avant qu'un premier volatile mort ne parvienne à s'en extraire : une corneille au regard vide et à l'aile brisée. Elle demeura en équilibre sur le rebord, soutenant le couvercle avec sa tête, le temps de laisser sortir six pigeons au plumage maculé de sang. Sans un roucoulement, ils s'envolèrent aussitôt en direction de leurs cibles. Le corvidé se jeta en avant à son tour et s'écrasa au sol. Par petits bonds, en traînant son membre cassé derrière elle, la corneille se lança à leur poursuite.

Chapitre 24

— Zéphirin, c'est toi ? demanda Renaud en plissant les yeux pour mieux discerner le captif dans la faible clarté.

— Renaud ! s'exclama son ancêtre.

Le garçon sourit, puis regarda par-dessus son épaule en ralentissant son allure. Borellus ne s'intéressait pas encore à lui, trop occupé à exprimer sa frustration en criant des obscénités à l'intention de Fred.

Crétin continuait d'observer Renaud. L'homme était terrifié à l'idée d'interrompre le sorcier, mais il fallait intervenir avant que le garçon n'ait le temps de discuter avec Zéphirin. Il se mit à gémir et alerta finalement le vieillard d'une voix tremblotante, en tirant sur sa manche :

— Père, ne faudrait-il pas s'occuper du gamin ?

Renaud s'arrêta devant son aïeul, celui-ci étant toujours maintenu au rocher, tête en bas.

— Zéphirin ! Il faut faire vite, supplia le garçon.

Il fut aussitôt interrompu par Borellus. Surgissant sans prévenir entre Renaud et son ancêtre, le sorcier se trouvait maintenant nez à nez avec l'adolescent. Ayant reculé par réflexe, Renaud demeurait tout de même à la portée des postillons propulsés par la bouche de son ennemi.

— Où te crois-tu, avorton ? Tu es dans mon royaume, ici !

— Bien dit, père ! ajouta Crétin qui arrivait à toute allure.

Un simple regard de Borellus fit comprendre à son fils qu'il n'avait pas droit de parole. Renaud mit à profit cette diversion pour regagner un peu d'assurance. Tout comme les gouttes de salive qui ne l'avaient pas atteintes, malgré les apparences, le garçon savait que le sorcier était immatériel, lui aussi. Renaud avait déjà dû traverser ce corps désincarné à deux occasions et il entreprit de le faire encore une fois pour reprendre sa conversation avec l'ancêtre Ferdinand.

— Ne m'ignore pas, lorsque je m'adresse à toi ! cria Borellus, offensé.

Et les poings crispés par la colère, il déclencha un vent intense destiné à séparer les deux complices. Crétin se jeta aux pieds de son père et saisit son maigre mollet. Renaud dut s'agripper en catastrophe aux chaînes qui maintenaient Zéphirin contre le roc. Les jambes du garçon ne touchaient plus au sol. Le vacarme l'obligea à fournir un effort supplémentaire pour s'approcher du visage de son aïeul.

— J'ai deux questions à te poser, hurla-t-il à l'oreille du prisonnier. Où et quand est-ce…

Borellus amplifia la tornade dans l'espoir de les empêcher de communiquer, mais en vain. Dès qu'il eut obtenu sa réponse, Renaud desserra les doigts et se laissa emporter. Zéphirin, impuissant, le vit s'éloigner et être projeté en direction de la porte.

— C'est moi, Fred ! cria-t-il à sa sœur avant même d'avoir touché le sol. Ouvre !

Le temps que Renaud escalade les troncs, le panneau de bois était déjà béant. En se retournant sur le dos dans l'intention de se laisser débouler vers la sortie, il aperçut le sorcier près de lui. Face à la porte, il récitait ses phrases étranges en cadence avec des gestes brusques. Au son fracassant du claquement de la porte, il cessa, puis se mit à rire. Renaud avait rejoint sa sœur, et bientôt son monde.

Chapitre 25

Père Jean admirait la partie la plus élevée de l'église Saint-Honorat, la lanterne des morts, tout en essayant de lire un dépliant malgré les interruptions de son frère.

— Jean, je ne vois pas pourquoi tu serais le seul à conduire cette voiture. Tu veux toujours tout contrôler. Allez, donne-moi les clefs, c'est mon tour.

— Edmond, commenta le moine, savais-tu que cette lanterne des morts a été inspirée de l'architecture de l'amphithéâtre romain qui fait face à la terrasse du restaurant où nous étions plus tôt ?

— Ne fais pas semblant de ne pas m'entendre, vieux gâteux. Si tu ne me laisses pas m'asseoir derrière le volant, on n'arrivera jamais nulle part. Tu n'as plus l'âge de conduire, et tu es tellement lent que…

— Edmond, regarde ces pigeons. Tu ne les trouves pas bizarres ? questionna père Jean.

— Ne change pas de sujet! Il…

Edmond s'interrompit. Son frère venait de lui tomber dans les bras, percuté par un oiseau devant lequel il s'était élancé afin de protéger les enfants inconscients. L'animal roula parmi les cailloux avant dc reprendre son envol, laissant des plumes ensanglantées sur la poitrine et la barbe du vieillard au souffle coupé.

— Renaud et Fred se réveillent! signala Lorie.

Edmond se précipita à son tour pour bloquer la trajectoire d'un pigeon. Comme son congénère avant lui, l'oiseau fou percuta le vieil homme de plein fouet et roula sur le gravier avant de s'envoler de nouveau.

Lorie tentait de soustraire aux attaques de becs acérés les visages de son frère et de sa sœur en les recouvrant de son corps.

— Courons jusqu'à la voiture avant qu'il en arrive d'autres! cria Lorie.

Renaud et Fred, enfin complètement éveillés, se levèrent et tous les cinq se ruèrent vers la sortie du lieu touristique. Les deux cadets cachaient leur tête sous leurs bras. Les six oiseaux cherchaient clairement à leur crever les yeux.

— Emmenez Fred jusqu'à la voiture, lança Lorie en s'adressant aux deux nonagénaires. Je m'occupe de Renaud.

Plié en deux, le garçon tentait de recouvrer ses esprits. Tel le poing d'un boxeur, un premier pigeon venait de lui foncer dans les côtes pour l'amener à baisser sa garde. S'ensuivit aussitôt l'impact d'un second boulet emplumé sur sa tempe maintenant sans protection. Lorie saisit son frère par le bras pour l'entraîner avec elle. De sa main libre, elle essayait d'écarter deux autres agresseurs qui poursuivaient l'assaut en lacérant le visage du garçon de coups de bec et de serres.

À plusieurs endroits, des poubelles se renversèrent simultanément. Des sacs de plastique déboulèrent parmi des déchets de toutes sortes. Deux adolescents qui s'étaient avancés vers l'une de ces poubelles figèrent sur place en voyant les sacs remuer. Ils s'écartèrent avec dégoût lorsque ceux-ci commencèrent à se déchirer pour laisser s'envoler des oiseaux en processus de décomposition. Et ce fut finalement la panique lorsque ces mêmes oiseaux foncèrent vers eux en prenant la direction de la sortie, la plupart en volant et les plus détériorés en courant gauchement sur leurs pattes putréfiées.

Ayant laissé Fred sous la seule protection d'Edmond, père Jean arriva le premier à la voiture pour leur en ouvrir les portes. Tous s'y engouffrèrent aussitôt. Seul le vieux moine, à qui son frère cadet venait d'arracher ses clefs, dut subir quelques attaques supplémentaires le temps de contourner la Peugeot pour s'asseoir sur le siège du passager. Démarrant le moteur sans se préoccuper du nombre croissant d'oiseaux venant heurter violemment les vitres du véhicule, Edmond enfonça la pédale d'accélération pour disparaître rapidement au coin de la rue, toujours poursuivi par la nuée de volatiles.

— Et ta rencontre avec Zéphirin, ça a fonctionné ? s'inquiéta père Jean en s'adressant à Renaud qui nettoyait son visage ensanglanté à l'aide de sa manche.

— Et pourquoi ça n'aurait pas marché ? répondit le garçon en souriant.

— Vous auriez dû le voir, se moqua Fred en époussetant ses vêtements. Presque aussi vite qu'avec ces oiseaux !

— Zéphirin n'a pas eu le temps de dire grand-chose, cette fois, ajouta Renaud. Il a seulement pu répondre à mes questions.

C'était l'idée de Renaud : tout reprendre à zéro. La piste sur laquelle Abi les avait menés n'avait pas donné les résultats escomptés. Alors, pourquoi ne pas profiter du temps qui leur restait à passer en France pour se rendre à l'endroit exact de l'exécution de Zéphirin ? À partir de là, Lorie pourrait voir en rêve la personne venue cueillir les ossements de Borellus sur le bûcher. En la suivant, elle parviendrait peut-être aux trois coffrets. Qui sait où elle aboutirait et quels renseignements elle obtiendrait ?

— Et alors ? demanda fébrilement le moine. La réponse ?

— Borellus, son fils et Zéphirin ont été brûlés sur la place des Prêcheurs, dans la ville d'Aix, annonça fièrement Renaud tout en retirant une plume de son oreille. Et, tenez-vous bien, c'était en 1611, l'année mentionnée dans la confession de la femme du document d'Abi.

Chapitre 26

— Ricky, laisse-moi sortir d'ici ! hurlait sa nièce en tambourinant dans la porte.

Depuis le départ de la jeune cliente, Abi réclamait sa liberté à grands cris. Il avait refusé de lui ouvrir la porte, prétextant qu'elle était plus en sécurité là-dedans en attendant l'arrivée de sa mère. L'adolescente ne cessait de protester, mais son oncle ne prenait même plus la peine de lui répondre.

— Ricky, ce n'est pas drôle ! Je veux sortir, et tout de suite !

Elle balança un autre coup de pied dans la porte, y laissant une marque supplémentaire. Abi explora la pièce du regard, espérant découvrir une issue par où s'évader. Mais elle l'avait inspectée tant de fois déjà, c'était inutile. Les deux autres portes, celle dans la classe d'élèves et celle de la chambre aux tortures, étaient fausses. De vulgaires morceaux de décor donnant sur un mur plein. Et pas plus de fenêtre ou de

trappe par où s'enfuir. Ses yeux se posèrent finalement sur un tournevis abandonné sous un trépied de caméra.

— C'est parti, mon Ricky, murmura-t-elle.

Elle mit plus de temps qu'elle l'avait prévu pour extraire les tiges des deux pentures de la porte. À l'aide du tournevis, et en utilisant le trépied de la caméra en guise de marteau et de levier, elle y était tout de même parvenue. À chaque coup, elle avait pris soin de crier ou de cogner du pied afin de couvrir le bruit. Avant de retirer le panneau de la porte, Abi glissa une dernière fois le miroir en dessous. Ricky était toujours occupé à l'ordinateur, à l'autre bout de la pièce. Même en comptant sur la jambe plâtrée de son oncle pour le ralentir, cela laissait peu de temps à la fugitive pour courir vers la sortie. Elle passa ses doigts sous la porte et tira. Le panneau bougea un peu, mais pas suffisamment. L'adolescente eut une pensée pour son amie Fred et son don. Elle tira plus fort. L'énorme pièce de bois chuta avec fracas sur le sol. Abi détala aussitôt et atteignit l'entrée principale avant que Ricky ne se soit levé.

— Ce n'est pas vrai ! lâcha-t-elle en constatant que le loquet était enclenché.

Abi s'empressa d'y remédier. Mais elle eut à peine le temps de voir la lumière pénétrer par l'embrasure que déjà Ricky l'avait saisie par le collet.

Chapitre 27

Le garçon sur la Yamaha n'avait jamais perdu de vue la Twingo d'Élisabeth. Même dans les rues étroites de la ville d'Arles, il était parvenu à la filer sans être remarqué. Arrivé en bordure des Alyscamps, il s'était stationné, comme elle. Descendue de sa voiture ultracompacte, jumelles en main et micro pointé dans leur direction, la femme avait espionné les Ferdinand sur le site.

Jamais le jeune homme n'avait craint d'échouer sa filature depuis le restaurant faisant face à l'amphithéâtre romain. Ni pendant le retour aux Alyscamps. Ni même lors de la fuite des Ferdinand poursuivis par des oiseaux agressifs et Élisabeth. Mais il y avait longtemps qu'il avait laissé derrière lui l'amas de cadavres ailés, tous tombés sur la chaussée au même moment. Il suivait maintenant Élisabeth, trop loin derrière, sur la route D9.

— Ça ralentit encore, se plaignit-il. Si elle prend une sortie, je vais la perdre, c'est certain.

Comme il le craignait, la Twingo bifurqua. Elle disparaîtrait bientôt dans la ville d'Aix-en-Provence, empruntant le même itinéraire que les Ferdinand avant elle.

— Mais poussez-vous ! cria-t-il aux voitures presque immobiles devant lui.

Désespéré, le garçon s'engagea sur l'accotement et entreprit de doubler les véhicules par la droite. Un concert de klaxons et de jurons l'accompagnèrent tout au long de son infraction. Peu importe, il arrivait à la sortie.

— Non ! protesta-t-il en voyant des gyrophares s'actionner sur un véhicule devant lui.

Il dut s'arrêter lorsque la voiture se détacha de la file pour lui bloquer le chemin. Il regarda en direction de la femme blonde qui avait déjà disparu, tout en cherchant son permis de conduire.

Chapitre 28

Lorie ne verrait pas grand-chose de la ville d'Aix-en-Provence, contrairement à sa sœur, son frère, père Jean et Edmond. Ils venaient de quitter leurs chambres louées à l'hôtel des Artistes, à deux minutes à pied de la place des Prêcheurs. Lorie, Fred et Renaud y occupaient la chambre « côté calme » et les deux Ferdinand presque centenaires, donc à l'ouïe moins fine, celle « côté boulevard ». Tous au troisième étage.

Pour permettre à Lorie de s'assoupir, on avait proposé de la laisser seule et d'aller jouer les touristes. Se fiant aux conseils de l'employé à la réception, ils entreprendraient la visite des marchés et des monuments historiques de la ville. En passant, ils s'arrêteraient manger un morceau. On rapporterait ensuite à la rêveuse quelque chose à se mettre sous la dent.

Cette fois, Lorie s'endormit presque aussitôt. Les rêves ne commencèrent qu'après une bonne heure de sommeil, cependant.

Elle ne se retrouva pas devant le bûcher comme elle s'y attendait, mais dans une grande pièce vide éclairée par la lumière du soleil couchant. Les différences de teintes sur les murs laissaient supposer que les meubles avaient été enlevés récemment. Lorie ne put s'empêcher d'admirer la cheminée monumentale, sans feu dans son âtre. Dans la pénombre, elle discernait non sans difficulté les boiseries peintes d'arabesques. Un souffle léger lui parvenait du balcon derrière elle. Une pluie fine commençait à tomber.

— Ça parle à l'étage du dessous, murmura-t-elle.

Elle se déplaça vers un escalier sculpté. Un mouvement derrière elle attira son attention.

— Non ! J'ai horreur de ça ! laissa échapper Lorie en sautant sur place.

Un rat. Il venait de se faufiler entre ses pieds.

— OK, Lorie. Ressaisis-toi. Va plutôt écouter ce qui se dit là-bas.

Dévalant l'escalier à la suite du rongeur, la jeune fille le vit s'introduire dans la pièce d'où provenait la voix. S'empressant d'arriver à la porte à son tour, Lorie eut le réflexe de se jeter de côté pour éviter un projectile. Le rat venait d'être frappé d'un coup de bâton. Il plana et alla s'écraser, inerte, au pied de l'escalier.

— Mais que se passe-t-il avec ces sales bêtes ? gronda un homme barbu en abattant son gourdin sur un autre rongeur.

Il envoya glisser le cadavre du deuxième animal vers celui de son congénère. Lorie pénétra dans la pièce faiblement éclairée à l'aide d'une demi-douzaine de bougies disposées sur une table et le rebord des deux fenêtres. Traversant Lorie, l'homme alla refermer la porte en observant les deux rats. Les rongeurs se redressaient sur leurs pattes, contre toute attente.

En plus de l'homme au gourdin, un autre personnage occupait les lieux. Plus jeune et moins richement vêtu, il était assis sur le bout d'un banc. Sur une table devant lui, seul autre meuble présent dans la pièce, un parchemin s'étalait. La plume tenue par le jeune homme avait été débarrassée de ses

barbes pour ne pas gêner les doigts. Malgré cela, elle ne cessait de bouger et il peinait à la tremper dans l'encrier de corne coincé dans sa main gauche.

— Arrête de trembler et écris, s'impatienta le tueur de rats.

Le garçon apeuré hocha la tête et leva sa plume pour signifier qu'il était prêt. Au même moment, le gourdin tournoya et frappa le sol derrière lui. Une seconde plus tôt, à cet endroit, se trouvait un rat famélique. Réfugié dans un coin sombre, l'animal se préparait déjà à revenir. Ne le voyant plus, le barbu commença à faire la dictée au jeune homme à la main tachée d'encre par son dernier sursaut.

— « Grégoire Borellus, reconnu coupable des crimes d'impiété, de magie, de sorcellerie et autres abominations, sera condamné à être mené et conduit par tous les lieux et carrefours de cette ville d'Aix… »

Son discours, trop rapide pour le jeune secrétaire, était heureusement ponctué de pauses pendant lesquelles il repoussait les rongeurs de plus en plus téméraires.

— « … et au devant de la grande porte métropolitaine Saint-Sauveur dudit Aix,

faire amende honorable, tête nue et pieds nus, la harde au col, tenant un flambeau ardent en ses mains… »

Lorie cria lorsqu'il lança son bâton sans prévenir, atteignant un énorme rat derrière elle. Il s'empressa d'aller écraser le crâne de la bête de plusieurs coups de talon avant de récupérer son arme.

— « … et à genoux demander pardon ; ce fait être mené en la place des Prêcheurs de ladite ville et y être brûlé tout vif sur un bûcher qui à ces fins sera dressé jusqu'à ce que son corps et ses ossements soient réduits en cendres et après être jetées au vent et tous et chacun ses biens acquis et confisqués… »

Lorie perdit les derniers mots de la sentence. Jusque-là, elle entendait les rats gruger la porte de l'autre côté. Ceux-ci avaient brusquement abandonné cette activité pour se mettre à couiner avec colère.

Un être chauve et ventripotent fit irruption dans la pièce. Il se jeta aussitôt sur le sol en se débattant et en criant. L'homme au gourdin referma rapidement la lourde porte, mais Lorie eut le temps d'apercevoir ce qui se passait de l'autre côté. Le plancher de la pièce voisine et son escalier grouillaient de

rats ! Cinq rongeurs, demeurés accrochés au nouveau venu, s'acharnaient à le mordre. Le barbu les fit fuir de quelques coups de bâton bien placés.

— Il y en a partout dans les rues, brailla l'homme chauve. Ils m'ont poursuivi jusqu'ici. C'est Borellus qui fait ça, je…

— Tais-toi ! coupa le barbu en essayant de frapper un autre animal. Vous avez procédé à son arrestation ? Oui ? Parfait. Où en étais-je ?

Le secrétaire s'empressa de ranger le canif avec lequel il tentait de retailler l'extrémité de sa plume.

— « Avant d'être exécuté… », dit-il d'une voix chevrotante en reprenant sa corne d'encre en main.

— Ah oui. « Et avant d'être exécuté, sera mis et appliqué à la question ordinaire et extraordinaire, pour avoir par sa bouche la vérité sur ses complices. »

— Justement, l'interrompit le ventru personnage en se relevant. Borellus n'a pas attendu qu'on l'interroge. Il se vante d'avoir fait des choses bien pires que ce dont on

l'accuse, et il en rit. Il a aussi dénoncé son fils Crétin comme étant son complice.

— Personne d'autre que son fils? grommela le barbu, contrarié.

— Personne.

— Et Zéphirin, le marchand avec qui il fait si souvent affaire?

— Je lui ai posé la question, comme tu l'avais demandé. Il a répondu que Zéphirin n'était pas digne de brûler avec lui.

Les yeux d'une douzaine de rongeurs se mirent à briller en périphérie de la pièce. L'homme à la massue semblait réfléchir. La légion de rats grugeait rageusement le panneau de la porte.

— Il ment, décréta finalement le barbu. Tu diras qu'il a aussi dénoncé Zéphirin. Tu m'as bien compris?

— Mais Zéphirin ne fait pas tant d'affaires qu'avec lui. Il en fait même probablement plus avec toi…

— Et j'ai encore plus de dettes envers Zéphirin qu'envers Borellus, idiot. Comme toi d'ailleurs, non? Pourquoi ne pas profiter de la condamnation du sorcier pour se débarrasser aussi du marchand et de ce qu'on lui doit ? As-tu peur d'un simple marchand, aussi riche soit-il ?

— Ce n'est pas le marchand qui m'effraie, c'est le sorcier. On n'aurait jamais dû s'attaquer à lui, pleurnicha-t-il.

— Il ne t'a pas causé assez de problèmes depuis son arrivée dans notre ville ? s'emporta le barbu en saisissant le chauve par ses riches vêtements lacérés et trempés de pluie. Il nous protège de la peste et autres fléaux grâce à ses potions, c'est vrai, mais encore faut-il pouvoir se les payer. Il y a à peine trois ans qu'il réside parmi nous et nous sommes presque tous acculés à la faillite. Regarde ma demeure. J'ai dû la lui vendre et tout ce qu'elle contenait avec. Celui qui ne peut plus payer Borellus est assuré de mourir de la peste dans les semaines qui suivent. Moi, je ne me laisserai pas faire !

Lorie ne perdait pas un mot de la discussion. Quant au secrétaire, il n'écoutait pas. Il était trop préoccupé par la porte menaçant de céder sous les coups de dents incessants de la vermine. Gardant l'encrier et la plume entre ses mains, il se mit debout sur le banc. Comme Lorie, il constatait que les rats surgissaient de toute part, avançant résolument vers eux en formant une ligne. La plupart avaient subi les coups du barbu et, vu leur état, ils auraient logiquement dû être morts. Lorie reconnaissait là la signature de Borellus. Révulsée, elle tourna la tête vers le barbu qui continuait d'engueuler le chauve en le secouant.

— Ne vois-tu pas que grâce à nos fortunes il devient de plus en plus puissant et influent ? Et que, malgré son âge, il a plus de force et d'énergie que nous tous ?

Les gémissements du secrétaire parvinrent à son oreille. Le barbu aperçut sur sa droite la ligne ordonnée de rongeurs. Ils semblaient attendre un signal pour attaquer. À sa gauche, la seule issue de la pièce était maintenant parée de multiples trous par lesquels on voyait poindre des museaux. Cette vermine agrandissait les ouvertures à coups d'incisives. Le premier rat allait bientôt réussir à traverser et il serait suivi par beaucoup d'autres.

— Ne perdons plus de temps à rédiger cette condamnation, se ravisa le barbu d'une voix moins assurée. On brûlera Borellus, son fils et le marchand dès demain, et sans procès.

Il empoigna son gourdin à deux mains et brisa les luxueux carreaux de l'une des fenêtres avant de sauter à l'extérieur.

Son comparse chauve agrippa le banc du secrétaire par les pattes et tira. Le jeune homme chuta sur le sol et se releva aussi vite, de peur d'être attaqué par les rats. Le chauve disparaissait déjà par l'ouverture de la fenêtre, s'étant servi du meuble pour enjamber le rebord. Lorie vit le secrétaire s'élancer à son tour et s'éjecter dehors à la suite des deux fugitifs. Elle courut à la fenêtre, mais on ne les voyait déjà plus dans l'obscurité et la pluie.

Elle se retourna. Le régiment de rats éclopés avançait vers la fenêtre sans se préoccuper des bougies tombées sur le sol. Un premier rongeur s'extirpa d'un des trous de la porte, puis un flot ininterrompu de ces bêtes inonda la pièce en couinant. Ils étaient si nombreux qu'ils se grimpaient sur le dos pour ne pas suffoquer sous le poids de leurs congénères. Lorie, toujours figée devant la fenêtre, poussa un cri d'horreur tandis qu'ils se précipitaient sur elle dans l'intention de sauter à l'extérieur.

Chapitre 29

Abi entendit la sonnette d'entrée retentir. Peu après, Ricky, couvert de traces de morsures et de griffures, entra dans la pièce avec son tibia plâtré. La jeune fille put voir les deux solides loquets nouvellement installés sur la porte de façon à empêcher une autre tentative d'évasion. Consciente d'avoir été piégée, elle s'attendait presque à voir apparaître Antonio derrière Ricky. Mais non, ce n'était pas lui.

— Bonjour, ma chérie, dit Dolorès. Tu n'as pas été très gentille avec ton oncle, ajouta-t-elle en désignant les blessures de son frère.

Abi aurait aimé répliquer, mais un bâillon en similicuir enfoncé entre ses dents l'en empêchait. C'était un accessoire tiré d'un coffre du décor médiéval, tout comme les cordes de chanvre l'immobilisant sur une chaise. Sa mère ne s'empressant pas de la libérer, Abi se mit à grogner et à s'agiter.

— D'accord, Ricky va t'enlever ça de la bouche.

Avec réticence, il détacha la lanière, craignant de se faire mordre une fois de plus. Un crachat le percuta aussitôt en plein visage, suivi de cris et d'insultes.

— Charogne ! Ta prochaine nuit, tu vas la passer en prison, je te le jure ! Combien de tes catins ont eu ça dans leur bouche avant moi ? Gros dégueulasse !

Dolorès suggéra à sa fille de se contrôler, mais celle-ci n'en avait pas l'intention. L'adolescente projeta un autre jet de salive en direction de Ricky, qui s'était prudemment mis hors de sa portée, puis elle recommença à hurler. Dolorès fit un nouveau signe de la tête à son frère. Celui-ci recula rapidement d'un pas en faisant non de la sienne.

— C'est assez, coupa Dolorès en remettant elle-même le bâillon humecté de salive à sa fille. Tu vas te calmer maintenant. On a à te parler.

Mais Abi ne l'entendait plus. Rouge comme une pomme grenade, elle foudroyait sa mère du regard et se débattait sur sa chaise qui menaçait de se renverser. Après dix minutes de crise, épuisée, elle cessa. Sa mère, debout devant elle, sans expression et les bras croisés, attendit avant de prendre la parole.

— Je vais t'enlever cette chose d'entre les mâchoires. Et je peux même te détacher. Mais seulement si tu me promets de rester assise bien sagement sur ta chaise, ajouta-t-elle sans se préoccuper des protestations de Ricky. D'accord ?

Abi hocha lentement la tête. Une fois le bâillon ôté, elle secoua sa chevelure pour la remettre en place, c'est-à-dire devant son œil gauche. Puis, froidement et sans hâte, elle cracha une dernière fois sur le sol en dévisageant Ricky. Dolorès commença à la délier. Bientôt, Abi put se frotter les poignets, puis les chevilles. Comme promis, elle ne bougea pas de son siège.

— Tout d'abord, je vais te dire la vérité sur Mathieu Ferdinand, commença sa mère.

Chapitre 30

Lorie s'éveilla en sursaut dans sa chambre d'hôtel, puis elle referma les yeux et le sommeil l'enveloppa de nouveau.

Les odeurs l'assaillirent d'un coup. Celle de la fumée âcre, surtout. Les flammes du bûcher s'étaient amplifiées et la chaleur dégagée avait obligé les spectateurs à s'éloigner de quelques pas. Il n'y avait plus grand-chose à regarder, mais tous demeuraient là à parler et à fixer le bûcher qui menaçait de s'effondrer.

À la gauche de Lorie, l'adolescent en haillons, qu'elle avait remarqué dans un cauchemar précédent, tenait un chiot coincé sous son bras. Le garçon se tourna vers elle. La rêveuse recula la tête, agressée par son haleine.

Qu'est-ce qu'il a à sourire comme un imbécile, celui-là ? pensa-t-elle, irritée.

Elle put observer un bref instant la disposition anarchique des dents du garçon

avant qu'il n'entreprenne de s'éloigner en se faufilant parmi les badauds. Il semblait bien être le seul à vouloir quitter la place. Sous une impulsion, Lorie le suivit. Elle le talonna pendant qu'il fendait la foule avec difficulté. Les cheveux gras du garçon collaient à son crâne par plaques désordonnées. L'aînée des Ferdinand eut un mouvement de répulsion en constatant qu'une colonie de poux vivait là. Sa réaction la fit aussitôt se sentir ridicule. Après tout, Lorie se savait dans un rêve. N'empêche... Le nez plissé par le dégoût, elle recommença à lui coller aux fesses, de peur de le perdre. Elle se laissa distancer un peu dès qu'ils furent sortis du groupe.

La pestilence, dominée par l'odeur de chair brûlée, s'estompait à mesure qu'ils sortaient de la ville par les rues boueuses. Les rats paniqués, courant dans tous les sens, devenaient plus rares. L'adolescent aux pieds nus pénétra dans la forêt dès qu'il en eut l'occasion. Le trajet dura une heure, peut-être deux. Ou bien seulement dix minutes, Lorie n'aurait su le dire. Le temps s'écoulait étrangement, dans le monde des rêves.

Le ruisseau suivi par le garçon déboucha dans une clairière qui était visiblement un domaine agricole. Il y avait là une riche demeure à l'allure de villa italienne : de forme plutôt carrée, avec un toit à quatre pans, et une façade sculptée aux fenêtres disposées de façon régulière sur deux étages. Mais c'est vers les deux bâtiments délabrés, derrière le jardin entourant la villa, que l'adolescent se dirigea. Les murs de torchis, mélange d'argile et de paille, s'effritaient dangereusement par endroits et les toits de chaume auraient dû être remplacés depuis longtemps.

— Je crois bien que tu vas retrouver tes parents, mais ne compte pas sur moi pour aller te porter à eux, dit le garçon en s'adressant au chiot.

Deux énormes chiens s'étaient mis à japper à leur approche. L'enclos de bois qui les retenait résistait difficilement aux assauts répétés des molosses. L'adolescent marcha vers le plus petit des deux bâtiments sans fenêtres. Il s'arrêta à deux pas de l'entrée et parla d'une voix forte, mais craintive :

— J'ai fait le travail. J'ai obligé le cabot à regarder l'exécution, comme votre frère

me l'avait demandé. Il faut me payer tout de suite, on m'attend à la tannerie, mentit le garçon.

Le chiot se débattant pour aller téter sa mère, le garçon le serra plus étroitement contre lui. Personne ne répondait. Comme Lorie allait passer sa tête dans l'embrasure pour épier à l'intérieur, un homme y apparut. Elle émit un cri de surprise en reculant. Comme tout ce qu'elle aurait pu dire ou faire, cela passa totalement inaperçu.

— Ouf ! Il m'a fait peur, dit-elle pour elle-même.

L'homme maigre aux cheveux en broussaille s'appuyait sur une béquille taillée dans une branche. Son pied gauche, chaussé d'un brodequin de cuir trop petit pour lui, semblait paralysé. L'autre pied, sur lequel il s'appuyait aussi solidement que sur sa béquille, était nu. Une chemise de lin trouée, d'un blanc sale, lui descendait presque aux genoux. Des hauts-de-chausses en laine bleue délavée complétaient son habillement. Regardant à travers Lorie, il observa brièvement le garçon, puis il articula avec difficulté pour une personne derrière lui :

— Pé… Péronnelle. C'est le morveux. Il… Il a le chien avec lui.

Ayant reçu un grognement en guise de réponse, il daigna enfin parler au garçon :

— Pe… personne ne t'a suivi ?

— Non. Les gens étaient bien trop occupés à tous les regarder brûler.

— Tous ?

— Ben… oui. Il y avait Borellus et son fils. Mais ils ont attrapé Zéphirin Ferdinand, le marchand, à la dernière minute. Il est mort avec eux.

Le boiteux sembla se désintéresser des propos du garçon. Il lécha la cuillère qu'il tenait à la main, puis il désigna l'autre bâtiment délabré à l'aide de l'ustensile taillé dans une corne de bœuf.

— Mon f… frère Gontran est ch… chez lui. Va te faire p… payer.

À contrecœur, l'adolescent tourna les talons avec le chiot gémissant. Quant à l'homme, il réintégra sa demeure en claudiquant. Lorie lui emboîta le pas, laissant ses yeux s'accommoder au manque de clarté. Un feu brûlait directement sur le sol de terre battue, au centre de l'unique pièce.

Une marmite à trois courtes pattes reposait dessus. Pour tout ameublement, une table à tréteaux, deux bancs, une paillasse et un coffre. Des plantes séchaient, suspendues aux poutres. Par le toit de chaume troué, la fumée s'échappait avec difficulté.

Une femme terminait de lécher une écuelle de bois de ses habiles coups de langue. On voyait peu ses yeux, car ils se limitaient à deux minces fentes au milieu de son visage massif. Elle présentait des traits durs et résignés. Ses longs cheveux grisonnants débordaient de sa coiffe confectionnée d'un carré de toile de lin qui avait déjà été blanc.

— Guilhem, hâte-toi de finir ta soupe, dit-elle. Gontran va nous appeler dans pas longtemps, c'est certain.

— Il... Il attendra, crâna l'homme à la béquille en puisant une cuillerée de soupe aux pois dans son écuelle. Il se prend de... de plus en plus pour le chef ici. Il... Il a beau être le chouchou du vieux Borellus...

— Tais-toi donc ! dit-elle, apeurée. Ne parle pas contre grand-père, ça vaudra mieux pour toi.

De l'autre habitation, la voix de l'homme leur parvint :

— Péronnelle ! Guilhem ! Arrivez ici, et tout de suite.

Péronnelle se leva de son banc et essuya ses mains sur sa pauvre robe avant de sortir. Son frère, après avoir avalé sa soupe et poussé un rot sonore, fit de même. L'adolescent et le chiot n'étaient plus dehors. Lorie entra dans l'autre bâtiment délabré, immédiatement derrière Péronnelle. L'endroit était encore plus sale que celui qu'ils venaient de quitter. Une vache mal nourrie tirait sur le lien la retenant à un escalier étroit. Un âne tout aussi maigre tentait de se cacher derrière elle. Gontran habitait probablement là-haut, profitant de la chaleur dégagée par ces animaux, leurs excréments et la paille pourrissante. Lorie comprit pourquoi la vache et l'âne semblaient nerveux : l'adolescent gisait au pied de l'escalier, la gorge tranchée.

— Péronnelle, débarrasse-moi de ça, ordonna l'homme en désignant le cadavre d'un mouvement du menton.

Le visage de Gontran ressemblait à celui de son frère, mais il était doté de la même

stature imposante que sa sœur. Plus âgé qu'eux, il dégageait une grande assurance. Son sourire en coin reflétait son mépris pour les autres. Tenant le chiot dans ses bras, il lui caressait la nuque en regardant Péronnelle charger le corps du garçon sur son épaule.

— J'en fais quoi ? demanda-t-elle.

— Tu peux l'abandonner dans la forêt ou le donner aux chiens, ça importe peu. De toute façon, il faut quitter la région au plus vite.

Comme à son habitude, Péronnelle ne discuta pas les ordres. Ça permettait d'éviter bien des problèmes. Les gens qui avaient fait condamner Borellus, son grand-père, et Crétin, son père, pourraient bien s'en prendre à eux aussi. Une chose était certaine : ils viendraient prendre possession de ce domaine agricole. Il vaudrait mieux ne plus y être à ce moment-là.

— Toi, Guilhem, tu t'occupes du chiot, dit Gontran à son frère qui entrait. Écorche-le et va le mettre à bouillir. Quand ça aura refroidi, tu recueilleras la graisse flottant à la surface, ajouta-t-il en rompant le cou de l'animal d'un geste brusque. J'ai besoin

du plus de graisse possible pour la mélanger à ce qui restera de grand-père. Alors, fais ça correctement.

Guilhem attrapa au vol le chiot mort lancé par son frère. Il ne bougea pas du seuil de la porte, toutefois. Il continuait de regarder Gontran avec antipathie. Celui-ci ne le voyait déjà plus, occupé à fouiller dans un grand coffre adossé au mur. Gontran en sortit les trois coffrets qui allaient bientôt contenir les cendres et les ossements de Borellus.

Lorie s'éveilla de nouveau.

Chapitre 31

Le jeune motocycliste entra finalement dans la ville d'Aix avec sa Yamaha et une contravention en poche. Il espérait que les Ferdinand et la femme blonde s'attardent dans cette ville. S'il le fallait, il passerait les prochains jours à arpenter les rues. Avec sa moto, lorsque cela serait possible, et à pied pour le reste. Avec un peu de chance, il finirait par apercevoir l'un d'eux.

Chapitre 32

Abi ne bougeait pas. Il lui semblait qu'un seul mouvement de sa part pourrait compromettre les révélations que s'apprêtait à lui faire sa mère.

— Les photos de Mathieu Ferdinand et moi sont fausses, avoua Dolorès. Ce sont des montages élaborés par Ricky. Il a combiné d'anciennes photographies de moi avec celles du père de Fred, prélevées dans l'ordinateur volé dans sa maison. Avant que tu me reposes la question : non, Mathieu n'est pas ton père. Je ne l'ai même jamais croisé de ma vie.

Abi essayait de ne laisser paraître aucune émotion. Elle ne quittait pas sa mère des yeux, tentant de deviner si elle lui disait la vérité ou non.

— Quant à ton vrai père, c'est comme je t'ai toujours dit : lequel c'était ? je n'en

ai vraiment aucune idée. J'ai toujours aimé profiter de la vie.

— Pourquoi, maman ?

— Pourquoi j'aime profiter de la vie ?

— Non ! Pourquoi m'as-tu fait croire que Mathieu était mon père ? demanda Abi en contenant ses larmes.

— Reprenons tout du début. Ta grand-mère n'a plus la santé qu'elle avait. Elle pourrait mourir n'importe quand. La vieille a déjà commencé à perdre la raison, comme tu as dû le remarquer.

Abi évita de prendre la défense de sa grand-mère. Elle laissa plutôt Dolorès poursuivre.

— Ricky, Antonio et moi, on s'était mis d'accord sur un point. Il valait mieux trouver le coffret de notre mère avant que quelque chose de grave ne lui arrive.

— Antonio est dans le coup ? ne put s'empêcher de dire Abi.

— Il l'était. Mais laisse-moi raconter. Pendant l'hospitalisation de ta grand-mère, après son accident vasculaire cérébral, nous sommes allés dissimuler des caméras chez elle.

Abi se retint plus difficilement de parler.

— Enfin, continua sa mère, ça a été le travail de Ricky. C'est lui l'expert là-dedans, après tout.

L'adolescente tourna la tête vers son oncle. Il rougit en se reculant un peu plus.

— Pendant des semaines, nous l'avons espionnée en espérant qu'elle nous dévoilerait sa cachette. En vain. J'ai alors eu l'idée de te faire chercher ce coffret contenant les os de Borellus. Mais pour t'y mettre, il te fallait une bonne raison. En te faisant croire que tu étais la demi-sœur de Fred, j'étais certaine que tu ne pourrais t'empêcher de reprendre contact avec elle. Et que tu chercherais le coffret de ta grand-mère pour les aider à le détruire. Tu es tellement prévisible parfois, ma pauvre chérie, soupira Dolorès en lui glissant la main dans les cheveux.

Abi résista à l'envie d'écarter sa tête.

— Parfois, mais pas toujours, je dois l'admettre. Tu as plutôt choisi de lancer les Ferdinand sur la piste de l'autre boîte d'ossements, celle perdue en France. On ne s'y attendait pas, mais on a eu envie de voir s'ils arriveraient à la trouver pour nous. Et puis, tu as promis à Fred de leur remettre

celle de ta grand-mère après son décès. Pour ne pas trahir sa confiance, disais-tu.

Cette fois Abi s'emporta :

— Comment as-tu fait pour le savoir ? Je n'étais même pas chez grand-mère quand j'ai parlé de ça à Fred !

— Grâce à Ricky, encore une fois. Il a trafiqué un cellulaire pour pouvoir en capter les appels. C'est celui que je t'ai offert, tu t'en souviens ? Il a fait la même chose avec le téléphone de ta grand-mère et son ordinateur. On pouvait suivre toutes vos conversations et lire tous vos messages. Ricky pouvait aussi rendre vos appareils inopérants au moment où il le voulait. Ou seulement un périphérique de l'ordinateur, comme il a été obligé de le faire avec le numériseur. Heureusement que Ricky était là, reprit Dolorès en guettant les réactions de sa fille. On ignorait que tu avais conservé une des photos truquées. Si elle était parvenue aux Ferdinand, ils auraient pu découvrir la supercherie. Et ils seraient devenus méfiants.

— Donc, j'ai bloqué le numériseur, se vanta Ricky qui n'avait osé parler jusque-là. Puis j'ai averti ta mère. Elle t'a occupée au téléphone le temps que je me rende chez toi pour t'empêcher de faire d'autres bêtises.

Le regard que lui lança l'adolescente l'incita à se taire.

— Antonio qui s'était mis en tête de m'attraper, c'était faux, ça aussi ? dit Abi en s'adressant à sa mère.

— Oh, il adorerait te mettre la main dessus. Mais tu as raison. C'était un petit mensonge. En passant, il ne fait plus partie de notre projet. C'est son épouse qui devait espionner les Ferdinand pendant leurs recherches en France et…

— Élisabeth ? s'étonna Abi. Pourquoi elle ?

— Tes amis Ferdinand ne la connaissent pas, répondit Dolorès. Un de nous trois aurait été trop facilement repéré. Comme j'allais te le dire, elle a espionné la famille Ferdinand depuis Amos. Mais aussitôt arrivée en France, elle a cessé de nous faire rapport de leurs déplacements.

— Il lui est peut-être arrivé quelque chose, suggéra Abi.

— En fait, je crois que son charmant mari lui a ordonné de ne plus communiquer avec nous. Ricky et moi, nous nous méfions

d'eux depuis le début. Je suis certaine qu'Antonio a toujours eu l'intention de ressusciter Borellus.

— Plutôt que de profiter avec nous des bienfaits des ossements, comme convenu, ajouta Ricky.

Chapitre 33

Élisabeth se léchait les doigts en gloussant de plaisir. Elle avait de la difficulté à croire que l'on puisse avoir si faim. Sa première intention avait été de se priver de nourriture toute la journée, par mesure d'économie. Mais elle avait flanché. Une seule pointe de pizza toutefois. Achetée dans un restaurant bon marché à deux pas d'ici. Résistant à la tentation de la manger tout de suite, assise à une table extérieure sous un énorme platane, elle avait marché rapidement jusqu'à sa chambre d'hôtel. Élisabeth se félicitait d'avoir su attendre d'être seule. Ainsi, elle pouvait glisser son doigt sur la surface du papier pour récupérer les dernières miettes et les gouttes de sauce tomate, sans être vue de personne.

— Bon, il faut que je m'y mette, dit-elle en pliant en quatre la feuille nettoyée avant de la jeter dans la corbeille.

Élisabeth retira la plus imposante de ses deux valises de l'armoire. Sa trousse de maquillage s'y trouvait. Elle y prit un minuscule objet et le glissa dans l'étroite poche de son chemisier tout en se dirigeant vers la fenêtre. Repoussant les volets, elle tendit le cou à l'extérieur pour estimer la distance la séparant du sol. Son regard alla ensuite à l'étage au-dessus. Les volets de la chambre où dormait Lorie étaient entrouverts. Plus jeune, Élisabeth avait pratiqué l'escalade. Elle n'avait jamais excellé dans ce loisir. Mais Antonio tenait tellement à la réussite de cette mission qu'il lui avait confiée…

— Je ne te décevrai pas, mon chéri, murmura la femme en retirant ses souliers à talons hauts d'une main tremblante.

Chapitre 34

Lorie alla soulager aux toilettes l'envie d'uriner qui l'avait ramenée à la réalité. Les autres n'étaient pas revenus de leur escapade dans la ville d'Aix. Dommage, car elle aurait bien aimé manger quelque chose.

Elle fut un peu plus longue à s'endormir, mais elle se retrouva bientôt sur la place des Prêcheurs. Une lueur dans le ciel annonçait le lever du jour. Le bûcher n'était plus qu'une montagne de cendres et de tisons. Lorie crut d'abord l'endroit désert, mais des chuchotements parvinrent à ses oreilles. Elle contourna l'amas fumant en direction de ces voix.

— Plus vite que ça ! tempêtait un homme armé d'une courte épée. C'est interdit de fréquenter les gibets et les bûchers. Je suis bien placé pour le savoir.

— J'ai presque terminé, s'impatienta Gontran. Borellus était bien de ce côté ?

— Mais oui, mais oui ! Dépêche-toi !

Traînant deux seaux avec lui, Gontran se déplaçait sur la montagne de charbons ardents en utilisant des pièces de cuir qu'il trempait dans de l'eau sale. Jetant un morceau de cuir mouillé devant lui, il y mettait les pieds et recommençait avec une autre peau. Parvenu à l'endroit désigné, il versa le reste de l'eau sur ses jambes avant de remplir le récipient de cendres et d'ossements. De la même façon, il retourna auprès du garde, ramenant avec lui les peaux brûlantes et les seaux. Il frotta ses yeux irrités par la fumée avant de glisser sa main sous sa chemise.

— Voilà tes deniers d'argent, souffla-t-il à l'homme.

Le garde compta rapidement les pièces avant de les laisser tomber dans sa bourse. Tendu, il scruta encore une fois les environs.

— Empresse-toi de quitter la place. Et ne te fais surtout pas voir.

Gontran recouvrit les deux contenants avec les morceaux de cuir noircis. Il empoigna les anses de corde et s'éloigna d'un pas rapide sans répondre à l'homme.

Chapitre 35

Le haut de son corps reposant enfin sur le rebord de la fenêtre du dessus, Élisabeth reprit son souffle. Elle se laissa ensuite glisser à l'intérieur de la chambre. Vêtue de sa jupe, elle avait pris le risque d'offrir à d'éventuels passants un spectacle indigne de sa classe sociale.

Cachée derrière le canapé, l'intruse sentit monter en elle une bouffée de colère. Elle avait bien remarqué un coquet pantalon dans une vitrine près du restaurant. Mais, encore là, elle avait dû s'en priver. L'énorme fortune dont elle avait hérité n'avait cessé de fondre depuis son mariage avec Antonio. Au début, elle avait tenté de le freiner dans ses dépenses, mais cela avait le don d'irriter son mari. L'achat de la boutique d'art dans le Vieux-Montréal était un très bon investissement, disait-il. Elle n'en doutait pas, mais peut-être Antonio aurait-il pu s'acheter

des costumes moins coûteux. Et mener un train de vie plus raisonnable.

— Les restaurants tous les jours, les grands vins, la voiture de l'année..., ruminait-elle.

Élisabeth eut soudainement honte de s'être laissé aller à penser ainsi. La dernière fois qu'elle avait abordé le sujet de ses dépenses, Antonio avait explosé. Elle s'était recroquevillée par terre en attendant que les meubles et les bibelots cessent d'éclater autour d'elle. Élisabeth ne lui en avait plus jamais parlé et il lui en était reconnaissant, elle le sentait.

Antonio appartient à cette race d'hommes sensibles qui ne peuvent s'attarder à des préoccupations bassement matérielles, se répétait-elle en elle-même.

Élisabeth passa la tête au-dessus du canapé et regarda en direction du lit d'où provenait la rumeur d'une profonde respiration. D'après les photos remises par son époux, il s'agissait de Lorie, la plus âgée des filles de Mathieu. Son Antonio ne laissait rien au hasard.

Elle sortit un petit micro de la poche de son chemisier.

Élisabeth prit le temps d'examiner la chambre, très similaire à la sienne d'ailleurs, puis elle se releva sans bruit. Ayant retiré la pellicule plastique recouvrant l'arrière du micro, elle le colla sous la table. La femme jeta un coup d'œil sur la fenêtre dont elle avait pris soin de replacer les volets. Elle se dirigea plutôt vers la porte donnant sur le couloir.

Après tout, même James Bond aurait refusé de redescendre ce mur en jupe, pensa-t-elle en refermant la porte.

Chapitre 36

Lorie eut un bref moment d'éveil. Des gens un peu bruyants dans le couloir, sans doute. Elle hésita entre allumer la lampe de chevet ou sombrer de nouveau dans le sommeil. La seconde option l'emporta.

Elle fut aussitôt de retour devant la masure où l'adolescent avait trépassé. Guilhem, appuyé sur sa béquille, parlait à sa sœur pendant que la voix de Gontran résonnait à l'intérieur.

— Tu... Tu sais ce qu'il est en train de faire ? Il... Il lit les fo... formules de grand-père. Si pa... papa ne m'avait pas battu si fort... ce soir-là, c'est moi qui les ré... réciterais.

Péronnelle tourna la tête vers Guilhem tout en continuant d'attacher des sacs sur le dos de la vache maigre.

— J'a... j'avais beaucoup plus de ta... talent que Gontran co... comme écolier,

continua-t-il sans attendre de réponse. Si pa… papa ne m'avait pas mis da… dans cet état, c'est à moi que grand-père aurait co… continué de payer des études. C'est… C'est à moi qu'il aurait co… confié ses secrets.

— Tu ferais mieux de te taire, le coupa Péronnelle. Gontran ne parle plus. Il pourrait t'entendre.

Il s'écoula cinq à dix minutes avant que leur frère ne les appelle à l'intérieur. L'âne, en laisse à ses côtés, était surchargé de bagages.

— Les ordres de grand-père Borellus étaient les suivants, résuma Gontran. Chacun de nous doit emporter un coffret de ses cendres. Et nous devons emprunter des chemins différents avant de nous rejoindre chez notre cousin de Marseille. Comme ça, s'il arrive malheur à l'un de nous, il restera tout de même le contenu de deux coffrets pour ramener grand-père à la vie. Dans le pire des cas, un seul pourrait suffire. Les vôtres sont là, dit-il en montrant du doigt le sol derrière eux.

Lorie vit effectivement les deux contenants posés sur la paille humide. Ils étaient

identiques à celui retrouvé sous l'église de Cap-Santé, mis à part que les ferrures et le bois étaient neufs. Gontran sortit de l'intérieur de sa chemise deux parchemins pliés et les leur tendit.

— Voici les instructions et les formules à réciter pour faire revivre grand-père. C'est seulement au cas où je ne pourrais le faire moi-même, s'empressa-t-il d'ajouter d'un ton menaçant. En clair, je vous interdis d'essayer, à moins d'être certains que je sois mort.

Péronnelle et Guilhem saisirent les parchemins. Gontran les abandonna avec réticence, puis il prit son chapeau de paille posé sur le coffre pourri avant de continuer à parler :

— Grand-père voulait aussi que chacun de nous voyage avec le tiers de sa fortune. Mais ne vous avisez pas de dépenser inutilement un seul denier ! Sinon, vous aurez affaire à lui quand il sera de retour.

En proférant ces menaces, leur frère aîné ouvrit le vieux coffre et souleva à deux mains un très lourd sac de pièces. Il le posa sur le dos de l'âne qui protesta d'un long braiement. Tout en enveloppant le

trésor d'une couverture, il se retourna vers Péronnelle.

— C'est toi qui vas emporter les livres et les notes de grand-père. Surtout, cache-les bien. Je ne voudrais pas être à ta place si quelqu'un te surprenait avec ces ouvrages de sorcellerie.

Avec une évidente aversion, elle hocha la tête pour signifier qu'elle obéirait. Comme Lorie, elle sursauta lorsque Gontran haussa la voix.

— Qu'est-ce que vous attendez ? Allez prendre vos sacs dans le coffre. Et on marche tous séparément, je vous le rappelle. Péronnelle, tu prendras la route avec la vache. Et toi, Guilhem, tu passeras par les bois. J'arriverai à Marseille avant vous deux, c'est certain. Mais ne perdez pas votre temps en chemin, c'est compris ?

Sans attendre de réponse, il cala son chapeau sur sa tête, prit son bâton de marche et sortit du bâtiment avec son âne. Quand il se fut suffisamment éloigné sur la route, Guilhem s'indigna :

— Il n'est pa… pas question que je passe par la fo… forêt.

— On n'a pas le choix, Guilhem, il faut faire ce qu'il dit.

— Tu... Tu as vu à quel po... point c'est lourd, pesta-t-il en tentant de soulever le sac de sa main valide. Je n'y arriverai jamais.

Sa sœur ignorant ses plaintes, il reprit sur un ton plus décidé :

— On va mettre les de... deux sacs de pièces sur la vache, a... avec les autres bagages, et on marchera ensemble.

Avant que Péronnelle ne puisse protester, il ajouta :

— En arrivant à Ma... Marseille, on se séparera. Il n'en sau... saura rien.

Sa sœur, résignée, alla chercher la vache et arrima les sacs sur la pauvre bête. Le départ se fit en hâte, accompagné par les jappements des chiens abandonnés dans l'enclos.

Lorie se demanda combien de temps elle devrait marcher à leurs côtés avant d'assister à quelque chose d'important concernant les ossements de Borellus.

Le paysage changea subitement au moment où elle terminait de se formuler cette question. Le soleil était maintenant à son zénith. Péronnelle, accroupie près de la

vache, s'occupait à la traire. Et Guilhem se reposait sous l'ombre d'un arbre. Plus loin, en bordure du chemin, un paysan secouait les branches des chênes avec un grand bâton. Les cochons qu'il gardait se précipitaient pour manger les glands tombant au sol. De l'autre direction, celle d'où arrivait Guilhem et Péronnelle, une femme et un jeune garçon marchaient vers eux.

— Je n'en p... peux plus, se lamentait Guilhem. Du re... repos, du pain et du lait. C'est ce qu'il me f... faut.

— Pour étancher ta soif, n'y compte pas trop, annonça Péronnelle. Marcher avec tout ce poids est trop difficile pour la vache. Elle ne donnait déjà plus grand-chose, mais là, l'expédition achève de tarir son lait. C'est tout ce que j'ai pu en tirer, dit-elle en montrant son écuelle de bois presque vide.

— Essaie encore un p... peu, insista Guilhem en approchant avec un morceau de pain de seigle.

La suite eut l'apparence d'une séquence de film au ralenti, pour Lorie. La femme et le garçon marchant sur la route les saluèrent d'un signe de tête. À cet instant, le lait se mit à gicler abondamment dans l'écuelle.

Guilhem s'empara même d'un autre contenant pour recueillir le précieux liquide. À peine avait-elle dépassé la vache que la marcheuse blêmit et s'effondra sur la route.

— Maman ! cria l'enfant.

Péronnelle s'approcha de la femme. Elle hésita, puis la souleva par les aisselles pour aller la déposer dans l'herbe. Gontran observa le visage de la dame, puis ses vêtements de qualité à présent visibles sous son manteau ouvert. Il s'approcha du garçon.

— Ne t… t'inquiète pas. C'est sans doute la fa… fatigue. On… On va vous do… donner un peu de lait.

Guilhem avala une longue gorgée avant de tendre l'écuelle au garçon. Celui-ci y trempa les lèvres et alla porter le liquide chaud à sa mère. Guilhem abandonna la vache qui réclamait d'être traite de nouveau et le suivit.

— Je crois b… bien avoir reconnu ta mère, p… petit, souffla-t-il à l'oreille du gamin.

Voyant son air apeuré, Guilhem s'empressa d'ajouter sur le ton de la confidence :

— N'aie p… pas peur. Tu es le fils de Zéphirin le ma… marchand. C'est ça ?

— …

— Ils n'avaient p… pas le droit de faire ça à… à ton père. Ti… tiens, prends aussi du… du pain, dit Guilhem pour l'amadouer.

— Merci.

— Qu… qu'allez-vous devenir, toi et ta m… maman ? Où… Où allez-vous vi… vivre ? s'enquit-il à voix basse pendant que Péronnelle aidait la femme à s'asseoir.

— Un ami de mon père a un bateau à Marseille. Il pourra peut-être nous laisser en Normandie. Nous avons de la famille là-bas, à Fécamp.

— Tr… très bien. Bo… bonne chance alors.

Après avoir remercié ses bienfaiteurs, l'épouse de Zéphirin reprit la route en chancelant. Le garçon alla l'escorter, récupérant au passage leurs deux baluchons. Péronnelle s'installa de nouveau auprès de la vache pour la soulager du lait gonflant ses trayons. Guilhem demeura debout, regardant s'éloigner avec intérêt les deux voyageurs.

Chapitre 37

— Et maintenant, donne-moi des nouvelles de mon bébé, supplia Élisabeth.

À l'autre bout de la ligne, Antonio eut une hésitation.

— Ton chien va très bien. Pour qui me prends-tu ? Tu crois que je ne suis pas capable de m'en occuper, peut-être ?

— Ne te fâche pas, mon amour, supplia encore Élisabeth. Ce n'est pas ce que je voulais dire. Mais je m'ennuie tellement de lui. Tu veux bien me laisser lui parler, à mon petit bébé d'am…

— Cesse de faire l'enfant ! s'impatienta-t-il dans l'appareil. Penses-tu vraiment que j'ai du temps à perdre avec tes stupides caprices ? Tu le verras quand tu seras de retour, c'est tout !

— Oui, chéri. Je m'excuse. Je…

— Ça va ! Ce que tu peux être exaspérante quand tu t'y mets ! Rappelle-moi

dès que tu auras autre chose. Compris ? Je t'aime, poupée.

— Moi aussi, je t'aime, murmura-t-elle, même si son mari avait déjà raccroché.

Dans un chic bar de Montréal, Antonio remit son cellulaire dans sa poche et embrassa goulûment la fille avec qui il était assis au comptoir.

— On se reverra plus tard, lui promit-il. Ça doit bien faire deux jours que j'ai oublié son idiot de chien à la maison. Je vais le mettre en pension dans un chenil, ça va être moins compliqué.

Chapitre 38

Abi se forçait à demeurer assise sur sa chaise, calme en apparence. Sa mère semblait en avoir fini avec ses explications. Dolorès remonta la fermeture éclair de son manteau de cuir moulant et parla d'une voix plus détachée :

— Bon, il faut que j'y aille, Abi. J'étais en plein essayage de robes de mariée quand Ricky m'a fait venir ici. J'aimerais bien aller continuer ça avant la fermeture de la boutique.

— Tu peux me déposer chez grand-mère en passant, s'il te plaît ? demanda Abi.

— Je suis désolée, mon trésor, mais il est hors de question de te redonner ta liberté tout de suite.

— Quoi ?

— On ne peut pas prendre le risque de te faire entièrement confiance. Pas encore. Tu nous as déjà trahis, vois-tu… Tu vas

donc rester ici encore quelques jours. Et quand tu communiqueras avec Fred, ce sera sous notre supervision. Ainsi, tu nous aideras à savoir où ils en sont dans leurs recherches.

— Tu ne vas pas me laisser à la merci de ce vicieux ! s'emporta Abi en désignant Ricky du menton.

— Je ne suis pas inquiète pour toi. Tu sais très bien te défendre, répliqua sa mère en souriant. Écoute bien, ma chérie, il faut faire tes preuves maintenant, ajouta Dolorès avec sérieux. Les Ferdinand ne seront jamais tes amis. Eux, ils ne te feront jamais confiance. Surtout lorsqu'ils découvriront que tu as voulu te faire passer pour leur demi-sœur.

— Mais…

— Comprends donc où est ton véritable intérêt, Abi. Les Ferdinand ne sont que du bétail pour nous, comme le dit si bien ta grand-mère.

— D'accord, maman, mais ne me laisse pas ici, supplia Abi.

— Ce ne sera pas pour longtemps. Et je viendrai te voir demain, promis. On écrira à Fred ensemble.

— Comme tu veux, maman. J'accepte de collaborer. Mais là, j'ai faim. Tu m'emmènes manger au restaurant ?

— Je n'ai plus le temps, Abi. Toutes ces robes à essayer… Tu n'as qu'à dire à Ricky ce que tu aimerais manger. Il va s'occuper de te commander ça.

Ayant déposé un baiser sur le front de sa fille, Dolorès quitta la pièce en regardant sa montre. Ricky se dépêcha de sortir à son tour en boitillant, et il barricada la porte.

Chapitre 39

Lorie observait Guilhem et Péronnelle remettre les bagages sur le dos de la vache. Ils repartaient, mais elle n'avait plus l'intention de les suivre pour le moment.

— Je vais aller voir Gontran maintenant. Si j'ai bien deviné la façon de faire, je n'ai qu'à le souhaiter.

Elle attendit, y pensa un peu plus fort encore, et soudain il surgit. Ou plutôt, c'est elle qui apparut à ses côtés. Le soleil se couchait et Gontran pestait contre son âne en tirant sur sa corde.

— Plus vite, bourrique !

L'animal respirait avec effort. La lourde charge était mal répartie sur son dos et il boitait. Il fit deux pas et protesta d'un long braiement.

— Tu ne me feras pas passer la nuit ici, sale bête ! Si ça te prend plus de coups pour te le faire comprendre, tu l'auras voulu !

cria Gontran en élevant son bâton de marche à deux mains.

— Non ! protesta Lorie en se cachant le visage entre les mains. Je n'ai pas besoin de voir ça !

Une voix féminine se fit entendre. Lorie écarta les doigts. Elle était à présent dans une étable aux murs de pierres. Gontran déchargeait son âne pendant qu'une femme, maigre à faire peur, l'accueillait.

— Nous hébergeons souvent des pèlerins comme vous. Vous allez bien dormir ici, c'est tranquille. Et pour pas cher, ajouta-t-elle en jouant avec la pièce qu'il lui avait remise. Vous voulez manger ? Il me reste de la soupe d'ortie et du pain noir. Pour pas cher, répéta-t-elle.

— Merci bien, mais je jeûnerai, répondit poliment Gontran. Je compte me lever tôt pour continuer ma route avec cette brave bête, dit-il en donnant quelques tapes sur le flanc de l'âne terrorisé. Saint-Jacques de Compostelle est encore loin, vous savez.

— Alors, je vous laisse dormir. N'oubliez pas de me recommander au bon Dieu dans vos prières.

Il attendit qu'elle ait réintégré sa maison pour terminer de descendre les bagages du dos de l'animal. Il n'avait pas voulu manipuler le sac de pièces devant la femme. Ni lui laisser voir le coffret contenant les restes de Borellus. Il les déposa par terre, toujours enveloppés dans leur couverture. Il attacha l'âne au fond de l'étable et le gratifia d'un solide coup de poing dans les côtes.

— Saleté de bourrique !

Il jeta un coup d'œil vers la maison de son hôtesse avant de déballer le sac de pièces et le coffret. Il les cacha sous une bonne couche de paille, et étendit les deux couvertures par-dessus. Son lit était prêt.

— Le jeûne, ce n'est pas mon fort, marmonna-t-il en sortant un fromage et une outre de vin de ses bagages.

Avec son couteau, il coupa un morceau du fromage tout en marchant vers l'entrée de l'étable. Un dernier regard sur la nuit tranquille et il referma la porte. Aucune lumière ne pénétrait par la seule fenêtre de l'endroit puisqu'elle donnait sur une remise. N'eût été de la lueur de la lune qui passait là où des tuiles du toit étaient manquantes, l'obscurité aurait été complète. Lorie vit la

silhouette de Gontran se déplacer jusqu'aux couvertures et s'y installer pour la nuit.

— Bon, c'est une belle tranche de vie, tout ça. Mais ça nous mène à quoi? se plaignit-elle sans craindre d'être entendue.

Lorie réalisa soudain que du temps venait de s'écouler. L'angle par lequel la lumière de la lune entrait par les trous du toit avait changé. Quant à Gontran, il dormait profondément si on se fiait à l'importance de ses ronflements.

— Qu'est-ce qui se passe? s'interrogea Lorie en entendant l'âne commencer à se débattre avec la corde le retenant au mur.

L'animal se mit à braire. De plus en plus fort, en proie à une panique grandissante. Les ronflements de Gontran cessèrent pour être remplacés par une série de jurons à l'attention de la bête, puis il se leva d'un bond.

— Il y a le feu, constata-t-il d'une voix encore endormie.

Lorie perçut alors elle aussi l'odeur qui affolait tant l'âne. Les rayons de lumière filtrant du toit disparaissaient, bloqués par la fumée emplissant l'étable. L'homme

plongea ses mains dans la paille et en sortit le sac de pièces et le coffret. Il fonça vers l'unique porte avec ces précieux biens dans les bras, abandonnant le reste de ses bagages et l'âne.

— Tu n'iras pas plus loin qu'ici, toi ! entendit-il crier en parvenant à l'air libre.

Un filet l'enveloppa à ce moment et le fit chuter. Des coups de gourdin se mirent à pleuvoir sur sa tête. En moins de dix secondes, Gontran gisait par terre, mort, le crâne défoncé.

— Voyons voir ce qu'il avait de si important à sauver, persifla le meurtrier.

L'homme petit et mince, mais tout en muscles sous sa veste de cuir non tannée, écarta le filet du bout de son bâton. Un impact du même instrument sur le sac lui apprit que sa fortune était faite.

— Tu peux éteindre le feu, cria le tueur en direction de la remise au toit d'ardoises.

À l'aide d'une fourche de bois, celle qui avait accueilli Gontran retira du modeste bâtiment de pierre de la paille mouillée encore intacte. Une épaisse fumée continuait de pénétrer dans l'étable par la fenêtre. La

femme projeta le contenu d'un seau d'eau sur les flammes encore visibles dans la remise, avant d'aller rejoindre son complice.

— Ce n'était pas un simple pèlerin, expliqua l'homme en lui montrant les os noircis contenus dans le coffret. Je crois qu'il transportait aussi les reliques d'un saint.

Les braiements de l'âne s'élevèrent encore plus fort dans la nuit. Le cadavre sur le sol n'indisposait pas la femme. Lorie comprit qu'elle en avait vu d'autres. Par contre, les ossements semblaient l'apeurer.

— Qu'est-ce que tu vas faire de ce reliquaire ? demanda-t-elle timidement.

— Je ne sais pas. L'enterrer ou le brûler.

La femme agita sa main à plusieurs reprises, faisant des signes de croix fébriles. Maintenant, elle semblait terrorisée.

— Si tu fais ça, c'est l'enfer assuré pour nous deux, pleurnicha-t-elle. C'est une chose de dépouiller les voyageurs, mais on ne peut pas détruire les reliques d'un saint !

— Mais qu'est-ce que tu veux que j'en fasse ? s'impatienta l'homme sans scrupules. Je ne peux pas courir le risque de me faire prendre avec ça.

— Dépose-les devant une abbaye ou une église.

— C'est trop risqué. Je pourrais être vu. Et même si ce n'était pas le cas, la découverte de ce reliquaire pourrait faire remonter quelqu'un jusqu'à nous.

Voyant son épouse se signer de plus belle en se mettant à pleurer, il s'irrita.

— Bon, ça va ! Prépare-moi des provisions pour la route. Je me débarrasse du corps et j'emmène le reliquaire à l'église Saint-Honorat. Mon frère participe aux travaux là-bas. Il m'aidera à sceller ça dans les murs discrètement.

Chapitre 40

Abi entendit repartir le livreur du restaurant. Elle attendit. Ricky vint débarrer la porte du local où on la condamnait à passer les prochains jours. Il s'arrêta sur le seuil, une boîte entre les mains.

— Ton poulet est arrivé, Abi.

— J'avais deviné.

Abi s'avança pour que son oncle dépose la boîte sur ses mains tendues. À la dernière seconde, elle lui projeta le tout au visage. Cette diversion lui permit d'asséner un fulgurant coup de pied sur le tibia valide de son oncle. Muet malgré sa bouche béante, Ricky s'effondra au sol.

— Est-ce que ça a fait aussi mal quand Fred t'a cassé l'autre jambe? demanda-t-elle en le voyant se tordre de douleur.

Abi mit un pied sur le dos de son oncle pour sauter dans l'autre pièce. Elle avait

imaginé différents scénarios, dont celui d'attacher Ricky et de lui enfoncer à son tour le bâillon entre les dents. Mais une fuite rapide demeurait la meilleure option. Quelques secondes suffirent à ouvrir la porte d'entrée et elle se mit à jogger dans la rue. L'adolescente désirait mettre le plus de distance possible entre elle et son oncle avant qu'il ne redevienne fonctionnel. Mais cette course visait aussi à la réchauffer, car sa mince veste n'aurait pas suffi à la protéger du froid. Elle se répéta les étapes de son plan :

— But principal : expliquer toute cette tromperie à Fred et l'avertir qu'Élisabeth est en France pour les espionner.

Toujours d'un pas vif, elle abandonna la rue bordée d'entrepôts pour s'enfoncer dans un quartier résidentiel.

— Tout d'abord, ne pas mourir de froid.

Elle pénétra dans la cour arrière d'une maison où elle avait repéré une corde à linge ployant sous les vêtements. En continuant de courir sur place, Abi tâta un chandail bleu d'allure invitante. Trop humide. Elle ressortit de la propriété en accélérant de plus belle.

Bientôt, d'autres vêtements se présentèrent à sa vue, séchant eux aussi sous le soleil, derrière un bungalow. La fugitive s'y rendit en quelques enjambées. Le choix n'était pas terrible. Elle s'empara d'une veste rose à capuchon. Selon ses critères, elle était horrible, mais son épaisseur promettait un peu de confort. Enfilant la chose, Abi repartit sans tarder. Elle mémorisa l'adresse de la maison, bien décidée à rapporter discrètement le vêtement le plus tôt possible. Après deux autres coins de rue, la jeune fille ralentit au rythme d'une marche rapide.

— Maintenant, trouver le moyen d'avertir Fred et, si possible, manger un peu.

Son poulet et ses frites avaient connu une triste fin, écrasés sous le poids de Ricky. Mais calmer sa faim ne lui paraissait pas prioritaire pour le moment. Il fallait surtout trouver un accès à Internet pour communiquer avec Fred. Entre le départ de sa mère et son évasion, Abi avait eu le temps de penser aux façons d'y parvenir.

Il était inutile de revenir chez sa grand-mère, l'ordinateur y étant contrôlé par sa famille. Sa carte de la bibliothèque municipale lui aurait permis d'utiliser un de leurs

ordinateurs destinés au public, mais elle ne l'avait pas sur elle. Aller frapper chez un ami pour lui emprunter le sien ? Abi n'avait pas d'amis à part Fred. Il restait donc la solution d'envoyer son message à partir d'un café Internet.

— Mais pour ça, il me faut de l'argent.

Abi repoussa à l'intérieur du capuchon la mèche de cheveux qui venait de s'en échapper. Au coin de rue suivant, elle prit la direction du centre commercial.

Chapitre 41

La lueur du soleil commençait à teinter l'horizon. Lorie marchait aux côtés de l'assassin. Ils se dirigeaient vers la forêt au fond du champ. L'âne demeurait nerveux. Sans doute à cause du corps nu et sans vie de Gontran posé sur son échine.

— Ça ne devrait pas être permis d'être aussi idiote, pesta le tueur.

S'étant frayé un chemin parmi les broussailles bordant le boisé, il fit stopper l'âne auprès d'un tas de branchages. Il attacha l'animal à un tronc avant de déplacer l'amas de branches coupées encombrant le sol. Lorie s'étira le cou pour mieux voir. C'était un puits.

L'homme fit chuter le cadavre du dos de l'âne. Une fois sur le sol, il le traîna par les pieds jusqu'au trou. Il y fit tomber Gontran, dont le corps entraîna avec lui deux pierres détachées de la margelle du puits.

— Allez, va rejoindre les autres, marmonna-t-il en reprenant son souffle.

Le bruit provoqué par l'arrivée du cadavre, plusieurs mètres plus bas, révéla qu'il n'y avait pratiquement pas d'eau au fond. L'assassin vérifia la solidité de l'échelle de bois fixée à la paroi du puits avant d'y descendre avec deux lourdes sacoches de cuir passées sur son épaule.

— Je ferais mieux de le suivre, se dit Lorie en enjambant le rebord de pierres.

Elle prenait des précautions pour ne pas tomber, puis elle réalisa que c'était ridicule.

— Je suis dans un rêve. Il va falloir que je finisse par me mettre ça dans la tête. Il ne peut rien m'arriver ici. Et tiens, pour me le prouver…

Elle enleva l'un après l'autre ses pieds et ses mains des barreaux de l'échelle. Et elle se mit à planer tranquillement dans le vide, à la vitesse d'une plume.

— Wow ! J'adore ça.

Elle pourrait atteindre ainsi le fond du puits et s'y laisser déposer, plus doucement qu'une feuille d'érable se détachant de sa branche. Gontran, le corps enfoncé parmi des ossements humains et quelques centimètres d'eau boueuse, semblait l'y inviter, couché sur le dos, les bras en croix.

— Je suis contente que tu n'ailles pas plus loin, souffla-t-elle au mari de l'aubergiste.

À mi-chemin, l'homme avait en effet stoppé sa descente. À l'aide d'une corde, il se noua la taille aux barreaux de l'échelle de bois et il commença à desceller une pierre de la paroi. Cette pierre, d'une surface équivalente à un bottin téléphonique, se révéla épaisse de seulement quatre ou cinq centimètres. L'assassin la coinça entre sa poitrine et l'échelle, libérant un trou carré aux parois jointes par du mortier. Il glissa les sacoches dans la cachette.

— Ma vieille folle a réussi à me faire peur avec ses histoires. Je vais laisser le reliquaire ici plutôt que de le détruire. Je trouverai peut-être à le vendre un jour. Mais pas tout de suite, c'est trop tôt pour prendre ce genre de risque. Ce serait aussi idiot que cette idée d'aller emmurer ça dans l'église Saint-Honorat. L'important, c'est de lui laisser croire que je l'ai fait. Comme ça, elle me fichera la paix.

Lorie se sentit mal à l'aise d'avoir douté d'Abi. L'amie de Fred n'avait pas mis volontairement les Ferdinand sur une fausse piste. Elle ignorait simplement que le coffret avait terminé son voyage ici. Lorie regarda le tueur ouvrir l'une des deux sacoches de cuir, y plonger la main et l'en ressortir débordante de pièces de monnaie.

— Et pour qu'elle en soit convaincue, dit-il, je vais prendre un peu du trésor de ce brave pèlerin. Ça devrait suffire pour aller faire la fête loin d'ici pendant quelques jours.

Après avoir vu le malfrat refermer l'ouverture de la cachette à l'aide de la large pierre, Lorie se laissa remonter. Elle savoura sa découverte en s'élevant de plusieurs mètres au-dessus du puits afin d'admirer le paysage. La brise flattait sa peau et lui apportait les odeurs de la forêt. La jeune femme monta encore plus haut et, de là, elle regarda l'homme sortir du puits. Il replaça les branchages et reprit la route avec l'âne.

— Il faut maintenant que je puisse retrouver cet endroit précis au vingt-et-unième siècle.

Envahie d'un sentiment de toute-puissance, elle se concentra sur son désir. Lorie garda les yeux bien ouverts. En dessous, le paysage se mit à se transformer avec une rapidité croissante. Des siècles défilèrent sous ses yeux en trois minutes tout au plus. Elle vit la zone forestière se dégarnir pour devenir champs et vignobles. Les chemins caillouteux laissèrent place à des routes modernes qui se multiplièrent dans toutes les directions. Le tout s'accompagna de l'apparition d'habitations qui s'étalèrent en se transformant continuellement. Enfin, cela s'arrêta.

— Voilà qui ressemble beaucoup plus à mon époque, dit-elle en observant les voitures avancer sur les routes.

Lorie repéra l'endroit, directement sous elle, où était auparavant le puits abandonné de 1611. Un bâtiment de ferme au toit de tôle rouge s'y trouvait maintenant. Partant de là, un chemin de terre longeait un vignoble.

La jeune Ferdinand s'amusa à tournoyer sur elle-même comme une ballerine avant de plonger vers le sol. En rase-motte sur le toit des maisons, puis entre les voitures, elle

ne parvenait pas à décider si elle se sentait plus « fée clochette » ou « Superman ». Quand elle eut mémorisé suffisamment d'indices visuels et d'indications routières pour être certaine de retrouver l'endroit sans difficulté, elle s'arrêta pour se concentrer. Elle devait aller vérifier une dernière chose avant son réveil.

Chapitre 42

Mains dans les poches, Abi s'appuyait le dos contre le mur d'un couloir du centre commercial. La tête penchée, le capuchon rose cachant en grande partie son visage, même sa mère ne l'aurait pas reconnue. L'adolescente observait un homme qui s'acharnait sur une machine distributrice de boissons gazeuses. Le type jura une dernière fois en donnant une puissante claque sur le côté de la machine. Puis, comme plusieurs autres avant lui, il quitta l'endroit avec une canette, mais sans sa monnaie.

— Bon, allons voir ça, décida-t-elle.

Abi traversa la place et se rendit jusqu'à la machine. Discrètement, elle glissa son index et son majeur dans l'orifice du retour de la monnaie. L'adolescente en retira le morceau de papier-journal qu'elle y avait introduit quelques heures auparavant. Une

petite avalanche de pièces se produisit. Après en avoir rapidement calculé la valeur totale, elle sourit.

— J'en ai suffisamment pour aller dans un café Internet. Et peut-être même pour y manger un sandwich.

Abi glissa sa fortune dans sa poche de pantalon et s'éloigna.

Je ne pourrai pas rembourser ceux qui n'ont pu récupérer leur monnaie, se dit-elle avec une pointe de culpabilité.

Après quelques pas, elle parvint à se donner bonne conscience :

Mais si ça peut les inciter à cesser de boire ces cochonneries, je leur aurai rendu service, finalement.

Chapitre 43

Lorie flottait, fesses en l'air, à plusieurs mètres du sol. Elle espionnait, par la fenêtre, le logis où Péronnelle était assise, seule à une table. La pièce sentait fort le poisson et la sueur. La rêveuse entendait l'agitation du port, même si elle ne pouvait voir les quais. Des marins et autres inconnus passaient parfois sous elle dans la ruelle.

À son arrivée, la jeune fille n'avait pu résister à la tentation de s'élever très haut au-dessus de la ville. Un merveilleux coup d'œil sur Marseille et son activité matinale en ce début de dix-septième siècle. Le soleil se levait à peine sur les toits de tuiles orange de cette partie de la ville. De la fumée s'échappait de quelques minuscules cheminées. Les nombreux voiliers en rade, avec leurs mâts dénudés, tiraient sur leurs câbles, comme s'ils étaient pressés de repartir.

L'ouverture des boutiques et des commerces allait bon train. Il s'agissait probablement du quartier des abattoirs en dessous d'elle puisque des gens y convergeaient avec bœufs, chèvres et moutons. Pendant tout ce temps, des mouettes avaient traversé le corps de Lorie en criant, inconscientes de sa présence. La jeune femme volante était finalement redescendue à la fenêtre, de peur de manquer des informations importantes pour sa quête.

— Je suis d'accord, annonça simplement Péronnelle lorsque son frère entra dans la pièce.

Les paupières encore lourdes de sommeil, Guilhem ne répondit pas. Mais il émit un sourire en se grattant la poitrine. Lorie tendit l'oreille avec plus d'attention. Péronnelle reprit la parole :

— Il y a plus d'une semaine que Gontran devrait être ici. Il lui est arrivé quelque chose, c'est certain. S'il n'est plus là pour ressusciter grand-père…

— On p… peut aller profiter de sa fortune ailleurs, compléta son frère en réprimant un bâillement.

— Si on ne ramène pas grand-père à la vie, il ne pourra plus rien contre nous, dit-elle en baissant la voix.

Comme si elle craignait d'être entendue de Borellus, elle continua de chuchoter :

— Il n'a jamais été bon avec nous. Il faut toujours lui obéir et il ne donne jamais rien en retour.

— Tu as tou… tout à fait raison, approuva Guilhem.

— Il couche dans un lit clos avec de riches rideaux de laine pour se protéger du froid. Il a plusieurs matelas de plumes, des draps de lin, des oreillers…

— Et nous, on pa… partage la même paillasse humide, renchérit son frère.

— Il mange du pain blanc, du gibier, des…

— Bon, ça su… suffit, l'interrompit Guilhem. On ne va pas décrire toutes ses po… possessions. Faisons nos ba… bagages.

— Je suis bien contente de quitter la maison de notre cousin. On va où ? questionna la femme.

— On trouve un ba… bateau pour la Normandie. C'est là que se rendaient la f…

femme de Zéphirin et son mo… morveux. À Fécamp.

— Pourquoi on irait là-bas ?

— Tu… Tu te rappelles comme on s'est sentis bi… bien en leur p… présence ?

— Oui, peut-être, hésita Péronnelle en essayant de deviner où il voulait en venir.

— Et… Et notre vache qui ne cessait de… de donner du lait ?

— Oui, mais ça n'a pas duré longtemps.

— Ju… justement. J'ai fini de lire les no… notes de grand-père. Il a sû… sûrement utilisé son so… sortilège sur eux. Tant qu'on ne le ressuscitera pa… pas, on va ti… tirer avantage d'être p… près du garçon et de sa mère.

Lorie avait maintenant toute l'information qu'elle était venue chercher. Se laissant dériver et rouler tranquillement sur le dos, elle sourit en joignant les mains derrière sa tête. Le moment était venu de se réveiller.

Chapitre 44

— En gros, c'est ça, conclut Lorie après avoir avalé sa bouchée.

Père Jean, Edmond, Fred et Renaud avaient dévoré son récit. Comme elle-même dévorait le fromage, la fougasse et les pommes rapportés à son intention.

— Qu'est-ce qu'on attend pour aller voir si la boîte d'ossements est toujours dans le puits ? demanda Renaud.

— Il commence à se faire tard, répondit le moine.

— Mais non, protesta Edmond. Quoique si tu préfères aller dormir, on te racontera tout à notre retour.

— Non, coupa Lorie avant que père Jean ait pu répliquer. La nuit va tomber dans peu de temps. Il vaut mieux remettre ça à demain matin.

— Je suis d'accord avec ma sœur, appuya Renaud. De toute façon, j'ai l'impression

qu'on va se coucher tôt. Père Jean nous a fait visiter Aix dans tous les sens. On a vu chaque fontaine et chaque église au moins deux fois, ajouta-t-il en souriant au vieil homme.

Comme prédit, ils allèrent tous au lit peu après. Lorie écoutait la respiration de Fred et de Renaud en regardant tomber une fine pluie par la fenêtre. Installée sur le canapé, elle songeait qu'elle serait peut-être l'unique touriste en ville à ne pas avoir visité Aix-en-Provence. Ça ne la peinait pas beaucoup, puisqu'elle était aussi la seule parmi eux à avoir vu ce même endroit en 1611. Ainsi que Marseille et le lieu où ils se rendraient demain.

Toutefois, elle se sentait un peu déçue d'avoir été si vite abandonnée par les membres de sa famille. Lorie n'avait plus du tout sommeil. Elle s'était déjà trop reposée et l'excitation de la découverte probable du coffret de Borellus ne la quittait pas.

À part moi et le préposé à la réception, tout le monde doit dormir dans cet hôtel à l'heure qu'il est, pensa-t-elle.

Pourtant, une autre personne n'arrivait pas à fermer l'œil. Élisabeth avait écouté et enregistré la conversation de Lorie et sa

famille à l'aide du micro caché sous la table. Elle avait envoyé ces données à Antonio, comme il le lui avait demandé. Il serait content de son travail, c'est certain. Mais, même avec ce sentiment du devoir accompli, le sommeil ne venait pas. Se tortillant entre les draps, Élisabeth changea de position une fois de plus.

Chapitre 45

Ils virent un panneau annonçant la municipalité de Bouc-Bel-Air, puis ils traversèrent un petit pont et ensuite un vignoble.

— C'est ici, à gauche, assura Lorie.

Père Jean ralentit avant de tourner dans le chemin étroit devenu boueux par la pluie froide qui continuait de tomber. La Peugeot avait perdu les dernières plumes demeurées collées à ses vitres, mais elle masquait maintenant sa couleur bleue d'origine sous une couche de saleté.

— Au bout du chemin, on devrait trouver un grand bâtiment avec un toit rouge, indiqua Lorie.

La voiture écrasait de plus en plus de petites masses foncées, probablement du crottin. Après une courbe, une bâtisse recouverte de tôles rouges picotées de rouille apparut effectivement. Un grand saule en bordait l'entrée. Le moine se gara près de

l'arbre. La Peugeot n'ayant que deux portes et un hayon, Edmond et son frère descendirent les premiers et rabattirent leur siège pour permettre à Lorie, Fred et Renaud de sortir.

— D'après l'odeur et les bêlements, c'est une bergerie, devina Lorie avant de pousser un long bâillement.

— Où était le puits ? s'informa Fred.

— Près de l'entrée de ce bâtiment, répondit sa sœur. On peut faire comme à l'église de Cap-Santé : on se promène au hasard jusqu'à ce que l'on sente la présence des restes de Borellus.

Fred passa la sangle d'un sac à dos pardessus son épaule. Les deux jeunes filles prirent les devants. Edmond aidait Renaud à s'extirper de l'arrière de la voiture quand un cri le fit sursauter.

— Qu'est-ce que vous foutez là ?

Un vieil imperméable jaune et un chapeau assorti dévalaient la pente en se dirigeant vers eux. Comme s'il se trouvait encore en haut de la colline, l'homme affublé de ce vêtement vint hurler dans l'oreille de père Jean :

— J'ai dit : qu'est-ce que vous foutez là ?

Le vieux moine capucin tentait de cacher derrière lui la pelle neuve qu'il venait d'extraire du coffre de la voiture. Edmond referma la portière de la Peugeot avant de s'approcher d'eux, sourire en coin, bien décidé à ne pas s'en laisser imposer. Il examina l'homme rapidement. Une mâchoire trop carrée pour bien s'harmoniser avec la maigreur de ce grand corps. Des cheveux noirs et gras débordant des deux côtés de son chapeau de morutier. Un air abruti et une montre Mickey Mouse dépassant de sa manche. Tout ça suggérait qu'il n'était pas le patron de l'endroit. Père Jean déploya le capuchon de sa bure sur son crâne chauve pour se donner de la contenance et se protéger de la pluie, avant de répondre d'un ton manquant d'assurance :

— Je désirerais parler au propriétaire. Pouvez-vous m'indiquer où je pourrais le trouver ?

— Il est occupé, le propriétaire ! continua de vociférer l'être de caoutchouc jaune. C'est avec moi qu'on fait affaire quand…

Edmond hésitait entre appeler Fred pour lui demander de s'occuper de cet hurluberlu ou le faire lui-même, lorsqu'un appel à l'aide retentit. Tous se retournèrent vers les deux filles. Mais on ne voyait plus que Lorie, assise dans la boue où elle venait de tomber.

— Le sol s'est effondré sous Fred ! expliqua-t-elle en se relevant. Elle est dans le trou !

Edmond, père Jean et Renaud arrivèrent aussitôt au bord du puits désormais rouvert. Près de deux mètres de sol compacté, bouchant le trou depuis des siècles, s'était écroulé au moment du passage de Fred. La jeune fille était suspendue aux nombreuses racines qui avaient envahi l'endroit avec le temps. Mis à part qu'elle ne cessait de recracher de la terre, elle semblait aller bien. L'ouvrier arriva à son tour et pencha sa tête inquiète au-dessus du trou. Edmond en profita pour lui faire vibrer le tympan à son tour.

— Vous êtes cinglé de tendre des pièges comme ça ! Si jamais la petite est blessée, je vous fais mettre en prison !

— Mais, je n'ai rien fait, se défendit l'homme. Les moutons passent là tous les

jours. Le tracteur aussi. Je ne comprends pas.

Il n'osait plus crier. Edmond l'avait déstabilisé et se fit un plaisir de l'achever.

— Écoutez-moi bien, Big Bird. Vous courez chercher le propriétaire de cette ferme. Tout de suite ! Et qu'il m'apporte un téléphone. Je dois appeler les gendarmes. Je vais porter plainte contre vous !

— Je n'ai rien fait, moi, répéta le pauvre bougre en détalant.

Edmond afficha un sourire édenté et gloussa de plaisir. Son frère fit mine de ne pas l'avoir vu et se pencha au-dessus du puits où Lorie donnait ses instructions à sa sœur.

— Un peu plus bas, expliqua Lorie. C'est une pierre carrée qui cache la cavité.

Les pieds appuyés sur le mur circulaire, Fred descendit d'un autre mètre en utilisant des racines comme cordes d'alpinisme. Quand l'une menaçait de céder, elle se cramponnait à une autre. Fred sentait l'épuisement la gagner et son moral était au plus bas, signes de la proximité des restes de Borellus.

— Hé ! On se calme ! lança-t-elle soudain.

L'idée de se concentrer pour déloger la pierre recherchée l'avait à peine effleurée que celle-ci s'était éjectée comme un bouchon. La lourde plaque venait de se fracasser sur la paroi opposée avant de retomber en morceaux sur l'amas de terre et de débris au fond du puits.

— J'ai bien failli me faire défoncer le crâne, constata Fred en remontant à la hauteur de la nouvelle ouverture. Ce n'est pas ma journée !

En faisant le grand écart, elle parvint à trouver appui de chaque côté de la paroi. Sans lâcher les racines, l'adolescente appuya son épaule gauche près de la cavité. À l'intérieur elle pouvait voir ce qui restait des sacoches de cuir. Quand Fred se sentit suffisamment stable pour libérer sa main droite, elle la plongea dans la plus proche des deux masses de cuir décomposé. Il y eut une petite résistance, puis ses doigts s'enfoncèrent parmi des pièces de monnaie. Elle retira sa main et alla toucher l'autre sacoche. Le cuir se laissa déchirer sans difficulté. Elle l'arracha morceau par morceau, jetant ceux-ci au fond du puits.

— J'ai le coffret, annonça-t-elle aux autres avec une pointe d'écœurement dans la voix. Il a l'air complètement pourri…

Le système de fermeture de l'objet et les lamelles de fer ayant autrefois servi à le solidifier étaient maintenant totalement corrodés par l'humidité. Cela s'effritait en flocons de rouille au contact de son index. Fred appuya légèrement sur le couvercle du coffret. Ses doigts en écrasèrent aisément le bois, y laissant un petit cratère. Elle prit une profonde inspiration pour essayer de chasser la nausée qui la gagnait de plus en plus. Récupérant le sac à dos accroché à son épaule, elle l'emprisonna entre ses dents pour libérer sa main de nouveau. Après une courte hésitation, l'adolescente passa son bras derrière la première sacoche et la ramena lentement vers elle. Les pièces tombèrent au fond du puits en une bruyante cascade. Tout en conservant le sac coincé entre ses mâchoires, elle le plaça devant la cavité et y fit glisser la boîte d'ossements fragilisée par les siècles. Elle faillit vomir lorsque la poussière atteignit son visage. Sa main saisit rapidement le sac à dos.

— Aidez-moi à le remonter, implora-t-elle. Je ne suis plus capable.

Une corde jaune toute neuve apparut devant son visage.

— Attache-le, lui dit sa sœur.

Fred s'exécuta avec des gestes lents. Ses tempes lui faisaient mal et elle se sentait au bord de l'évanouissement.

— C'est fait, parvint-elle à marmonner.

À mesure que les ossements s'éloignaient, le tremblement des jambes de Fred diminuait. Ses forces et son moral revenaient. Sa respiration reprenait un rythme normal. Les restes de Borellus avaient maintenant disparu, avalés par le rond de lumière au-dessus de sa tête. Elle entreprit une rapide escalade à l'aide des plus grosses racines, sans prêter attention à la corde qu'on lui redescendait déjà.

— Tu devrais te voir l'allure, se moqua gentiment Lorie en l'aidant à émerger du trou.

Les cheveux, le visage, bref, tout le corps de sa cadette était maculé de terre. La pluie trop légère n'arrangeait pas les choses. Fred appréciait tout de même de pouvoir humer de nouveau l'odeur de laine humide et de crottin. Les yeux lui piquaient, mais elle put voir Renaud déposer le sac à dos sur le siège arrière de la voiture avant d'en refermer la porte.

— Fred, fais semblant de boiter, lui ordonna Edmond en apercevant le gars à l'imperméable.

Il dévalait la colline en compagnie d'un autre homme affublé d'un anorak vert et d'une moustache.

— J'appelle une ambulance, monsieur ? s'enquit le propriétaire en voyant Edmond et Loric soutenir Fred. La rescapée grimaçait de douleur en imitant la posture d'un flamant rose.

— Quoi, ce n'est pas déjà fait ? s'exclama Edmond.

Voyant l'homme s'empresser de sortir un téléphone de sa poche, il stoppa son geste.

— Laissez tomber. Ça prendrait trop de temps. On va la conduire nous-mêmes à l'hôpital. Vous devriez plutôt vous occuper de boucher ce trou. C'est drôlement dangereux chez vous.

L'homme, derrière lequel se cachait toujours son employé, les accompagna jusqu'à la voiture. Il se gratta la tête en les regardant s'éloigner sans hâte, avec le vieux

moine au volant. Élisabeth, stationnée cinq cents mètres plus loin, rangea ses jumelles. Elle aussi avait observé leur départ. Mais elle avait surtout remarqué le sac à dos, transporté par Renaud, du puits à la Peugeot.

Chapitre 46

Le garçon aux boucles blondes sirotait un expresso en regardant par la fenêtre du café où il était entré se réchauffer. Il avait mal aux pieds à force d'arpenter les rues dans tous les sens. Une des nombreuses jolies fontaines contribuant à la réputation de la ville coulait devant lui, le laissant totalement indifférent. Les habitués de ce café argumentaient sur le mistral et les changements climatiques responsables des températures comme celle d'aujourd'hui. Le garçon ne tentait plus d'écouter leurs conversations.

Je fais tout ça pour rien, se dit-il. *Ils ont probablement déjà quitté la ville. Ça prendrait un miracle pour les retrouver.*

Chapitre 47

Père Jean dut garer la voiture loin de l'hôtel des Artistes. Le manque d'espaces de stationnement était un problème important par ici. Heureusement, la pluie avait cessé et les nuages cédaient tranquillement la place au soleil. Les Ferdinand avaient fait un court détour pour revenir dans le commerce où ils avaient acheté la corde et d'autres bricoles plus tôt ce matin. Lorie et Edmond allaient y pénétrer quand Fred les interpella :

— Je vous laisse faire les achats. Je vais continuer jusqu'à l'hôtel. J'ai besoin de prendre une douche au plus vite.

Lorie regarda l'arrière de son pantalon en se disant qu'elle devrait peut-être faire la même chose.

— J'y vais avec toi, ajouta Renaud.

— Il vaudrait mieux rester tous ensemble, objecta le moine en désignant du menton le sac suspendu à l'épaule de Fred. Tu comprends ?

Un bruit de moteur leur fit tourner la tête. Une voiture fonçait droit sur eux. Edmond agrippa son frère par sa bure détrempée et le plaqua contre le mur avec lui.

— Pousse-toi! hurla Fred en projetant ses mains sur les omoplates de Renaud, beaucoup trop lent à réagir.

Le garçon s'écroula sur Lorie, à l'abri dans l'entrée du commerce. Mais le véhicule faucha Fred. Il accéléra encore jusqu'au bout de la rue étroite, où il freina brusquement en tournant. Fred, jusque-là collée contre le pare-brise de la voiture, fut propulsée sur le sol et roula parmi les tables d'une terrasse déserte.

— C'est pour toi que je fais tout ça, mon bel Antonio, marmonna Élisabeth en sortant précipitamment de sa voiture.

Juchée sur ses talons aiguilles, elle courut récupérer le sac à dos perdu par Fred dans sa chute. Avant que des passants aient pu réagir, la femme blonde avait disparu au volant de sa Twingo, dont les portes claquaient toutes avec fracas.

— Fred! hurlèrent Lorie et les deux nonagénaires en arrivant auprès d'elle, précédant Renaud de peu.

— Ça va, les rassura-t-elle. Je n'ai rien de cassé. Mais je persiste à dire que ce n'est pas ma journée !

Chapitre 48

Arrivé dans leur chambre, Renaud retira son blouson avec difficulté. Lorie et père Jean lui enlevèrent rapidement le ruban adhésif qui maintenait un sac collé sur sa poitrine. Un dernier tour et sa sœur arracha enfin la chose. Elle la lança sur la table avec dégoût.

— Merci, soupira Renaud. Je n'étais plus capable de l'endurer. Ça siphonne l'énergie, ce truc-là, c'est incroyable.

Le matin même, en attendant les autres dans le hall de l'hôtel, Fred avait pris connaissance de ses derniers courriels. Le préposé à la réception l'avait entendue jurer pendant sa lecture du message d'Abi. Voilà maintenant qu'elle n'était plus leur demi-sœur ! Et l'épouse d'Antonio rôdait autour d'eux pour les espionner et tenter de leur ravir les ossements de Borellus.

— Ça ne devait pas être facile, frérot, en convint Lorie. Mais ton idée nous a permis de déjouer l'épouse d'Antonio.

En plus de la corde et de la pelle, ils avaient acheté ce matin deux sacs à dos identiques, un rouleau de ruban adhésif et un canif. Après leur départ de la bergerie, dans la voiture, on avait continué d'agir selon le plan de Renaud. Le coffret, déjà en bonne partie désagrégé dans le sac, fut achevé par de solides coups de poing du garçon. Lorie avait ensuite aidé son frère à enfiler le sac et le lui avait fixé contre le torse à l'aide du ruban adhésif. Tellement serré que, lorsqu'il avait remis son blouson, il avait semblé aussi mince qu'à l'habitude.

— C'est moi ! annonça Edmond en entrant dans la chambre.

Le vieil homme avait à peine refermé la porte et verrouillé celle-ci que Fred sortit de la salle de bain, accompagnée d'une odeur de shampooing. L'adolescente avait enfilé un jeans et un chandail propres. Elle grimaça en retirant la serviette de sa tête. Les courbatures dues à l'agression dont elle venait d'être la cible commençaient déjà à se faire sentir.

— Tu es retournée au magasin? demanda-t-elle à Edmond.

— Oui. J'ai acheté le nécessaire pour détruire le coffret et son contenu. Et je vais m'y mettre tout de suite.

Chapitre 49

Dans la chambre du dessous, Élisabeth épiait leur conversation à l'aide du micro et de son ordinateur portable. Sa déception avait été terrible lors de l'ouverture du sac à dos de Fred. Il contenait seulement un journal et de la nourriture. Les deux pommes avaient éclaté au fond du sac, mais la boîte de calissons était récupérable. Élisabeth avait trop faim pour résister à la tentation de manger ces petites confiseries de pâte de melon confit et d'amandes. Toutefois, l'annonce de la destruction imminente des cendres et des ossements venait de lui couper l'appétit.

— Antonio ne me le pardonnera jamais ! Je dois les en empêcher.

Elle se leva de sa chaise et se mit à déambuler nerveusement, les larmes aux yeux.

— Je n'ai pas le choix. Je ne voulais pas en arriver là, mais je n'ai vraiment pas le choix.

Chapitre 50

Des coups précipités retentirent à la porte de la chambre. Lorie brisa le silence inquiet qui suivit leur sursaut.

— Qui est là? demanda-t-elle sans chercher de formule plus originale.

— C'est moi, Michaël. Le gars dans l'avion pour Marseille. Je dois vous parler. Vous êtes en danger.

Tous se regardèrent. Lorie se souvenait du garçon, même si elle avait oublié son prénom. Il était vite devenu difficile à supporter, cherchant trop à la séduire par son baratin. Pour parvenir à fuir sa compagnie, elle avait dû simuler un soudain intérêt pour un film d'aventures. Elle s'empressa de cacher le sac contenant les restes du sorcier derrière le canapé. Edmond alla ensuite s'y asseoir en vitesse. Renaud poussa sous le lit les derniers achats du vieil homme. Et Fred

se prépara à intervenir alors que père Jean faisait pénétrer le garçon.

— Ça n'a pas été facile de vous retrouver, dit-il au moment où la porte s'ouvrit. Je suis venu avertir Fred. Quelqu'un a l'intention de s'en prendre à elle.

Le garçon enjamba le seuil. Son casque de moto était suspendu au bout de ses bras, comme le chapeau d'un timide prétendant. Il abaissa la fermeture éclair de sa veste pour libérer sa gorge avant de continuer.

— Et je sais de quelle façon cette personne va s'y prendre.

— Comment ? demanda Fred en s'approchant.

Brusquement, le garçon tira un vaporisateur de son casque et aspergea le visage de Fred de poivre de Cayenne. Renaud tenta de se jeter sur Michaël, mais celui-ci l'obligea à reculer en essayant de lui fracasser le nez avec son casque.

— Tout le monde se calme, sinon je lui vide la bouteille au fond de la gueule.

Abandonnant le casque, il empoigna sa victime par les cheveux. Elle respirait difficilement, frottant ses yeux enflammés tout en se tordant de douleur par terre.

— Toi, la momie, ordonna-t-il à père Jean, tu fermes la porte. La petite n'est plus en état de le faire, je crois, ajouta-t-il avec un sourire méprisant pour Fred.

Le moine s'exécuta sans parler. Son regard alla de Lorie à Renaud, puis rencontra celui de son frère, qui redéposait son postérieur sur le canapé. Edmond leur fit discrètement signe d'attendre. Il vaudrait mieux se jeter sur l'agresseur tous en même temps.

Fred avait retiré les mains de son visage. Elle tentait sans succès d'ouvrir ses paupières d'où s'échappait un flot continu de larmes. Sans prévenir, Michaël lui balança une autre giclée de poivre en plein visage.

— Ça, c'est pour avoir cassé la jambe de mon père. Tu te souviens de Ricky ?

Il tira la tête de sa victime vers lui pour lui murmurer à l'oreille.

— En fait, c'est plutôt pour t'empêcher de me faire la même chose qu'à lui et à mon oncle Antonio.

Sans perdre le groupe de vue, il relâcha la tête de Fred, mais la garda sous la menace de son arme. Elle râlait, toussait et crachait tout en cherchant à cacher sa face contre

le plancher. Il se releva et lui asséna un coup de pied dans les côtes.

— Toi, tu as intérêt à te contrôler ! hurla-t-il à l'adresse de Renaud qui s'apprêtait à s'élancer sur lui. Je ne vais pas rester ici plus longtemps. Alors, vous me donnez le coffret tout de suite et…

La porte de la chambre venait de s'entrouvrir dans un léger grincement. Après avoir regardé dans cette direction, ils eurent tous le réflexe de se retourner vers Fred. Michaël allait lui balancer un autre jet de poivre de Cayenne quand une voix se fit entendre :

— On a réussi ? questionna Élisabeth.

— *J'ai* réussi, rétorqua Michaël. Ce n'est pas la même chose.

Élisabeth parut décontenancée. Elle redressa le menton en prenant un air offusqué et termina son entrée.

— C'est tout de même moi qui t'ai appelé. Tu ne les aurais jamais trouvés sinon.

— Parlons-en ! lui cria-t-il. Tu as essayé de me semer dès la sortie de l'avion. Ce n'est pas vraiment ce qu'on avait convenu. Mais ce n'est pas une surprise. On savait depuis

le début qu'Antonio et toi aviez l'intention de nous doubler.

Élisabeth ne parvenait visiblement pas à répliquer. Les lèvres pincées, debout devant la porte demeurée béante, elle continuait de le dévisager.

— Si tu m'as contacté, c'est parce que tu n'avais plus le choix, précisa Michaël. Ils auraient détruit les restes de Borellus si je n'étais pas intervenu. Donc, tu as échoué. Alors, les ossements sont pour moi, mon père et Dolorès.

Élisabeth s'empourpra. Sa voix trembla quand elle réussit à le menacer.

— Essaie de nous les voler et tu verras ce qu'Antonio va faire de toi, petit prétentieux !

— Si tu crois...

La porte claqua avec tellement de force derrière Élisabeth que la femme poussa un cri de mort. Il y eut deux secondes de silence, puis tous se tournèrent vers Fred. Elle gisait toujours à plat ventre sur le sol. Toutefois, elle avait pu ouvrir un de ses yeux rougis et larmoyants. Et cet œil fixait maintenant Michaël avec une froideur qui le fit blêmir. Élisabeth rouvrit la porte pour s'enfuir. Le

panneau se referma aussi vite avant de s'ouvrir de nouveau avec force. La femme encaissa le coup sur la poitrine et le visage. Elle tomba à la renverse tandis que la porte se verrouillait.

— Toi, tu ne perds rien pour attendre ! grogna Michaël en dirigeant son vaporisateur vers Fred.

Rien n'en sortit. La jeune Ferdinand cessa de regarder l'arme et, lentement, amena son regard de cyclope sur la gorge de son agresseur tout en s'assoyant. Michaël devint livide. Sa bouche cherchait désespérément à avaler de l'air. Le garçon virait déjà au bleu lorsqu'il s'écroula sur le sol en cherchant appui sur sa main qui tenait encore la bouteille de poivre de Cayenne. Renaud lui écrasa les doigts afin de saisir l'objet.

— Tu peux arrêter, Fred, dit-il à sa sœur.

Elle n'en avait aucunement l'intention. La jeune fille ne cessait de fixer Michaël de son œil rouge, continuant de bloquer le passage de l'air dans sa trachée. Elle voulait le voir mourir.

— Ne fais pas ça ! implora Lorie en prenant la tête de sa cadette entre ses mains.

Fred la repoussa avec colère. Lorie s'empoigna la gorge à son tour, ouvrant la bouche pour trouver de l'air.

— Ça suffit ! cria Edmond en attrapant Fred par les épaules et en la faisant pivoter vers lui.

Les larmes se mirent à couler de plus belle sur le visage de Fred. Lorie avala une grande bouffée d'air et Michaël fit de même avec un râlement sonore.

— On va s'en occuper maintenant, déclara Edmond d'une voix plus douce. Toi, va te rincer les yeux au lavabo.

Fred se releva sans dire un mot et en évitant de croiser le regard de sa sœur. Père Jean tendit une clef à Lorie.

— S'il te plaît, veux-tu aller chercher la corde dans la valise de la voiture ?

Elle opina de la tête, mais demeura muette elle aussi et sortit. Edmond fit signe à Élisabeth de s'allonger sur le dos, aux côtés de Michaël dont le teint redevenait normal. Renaud gardait le vaporisateur pointé vers leur visage, bien décidé à s'en servir si l'un des deux tentait de bouger.

— C'est parti tout seul ! s'étonna Renaud en relevant la bouteille.

Un énorme nuage de poivre de Cayenne avait atteint Michaël et Élisabeth. Alors qu'ils se roulaient de douleur sur le sol, Fred recommença à s'asperger avec l'eau du robinet.

— Edmond ! gronda père Jean en serrant les mâchoires. N'encourage pas la petite à se venger de cette faç…

Mais son frère cadet s'était déjà réfugié dans la salle de bain, d'où on pouvait l'entendre s'esclaffer.

Chapitre 51

Abi déposa la théière et la tasse sur le guéridon placé du côté valide de sa grand-mère. La vieille avait refusé de se laisser conduire à ses traitements aujourd'hui. Elle semblait exténuée, peut-être parce qu'elle ne s'était pas maquillée, contrairement à son habitude. Et elle n'avait pas enfilé de robe de chambre par-dessus son pyjama de satin noir, seulement un turban de la même couleur. Abi risqua une question directe.

— Grand-mère, ta paralysie, est-ce que c'est à cause de moi et de la destruction des restes de notre ancêtre Borellus ?

L'aïeule hésita avant de répondre.

— Je ne sais pas. Les médecins me disaient de ralentir et de prendre leurs médicaments. J'étais à risque de faire un accident vasculaire cérébral depuis longtemps. Mais j'ai toujours fait à ma tête. Et ce n'est pas

aujourd'hui que je vais changer, ajouta-t-elle en se redressant.

— Et si un autre coffret devait être détruit, ou même les deux autres…

Félicité secoua la main d'un air agacé pour signifier que cette idée était saugrenue.

— Ce n'est pas près d'arriver ! Le jour où on verra ça, je serai sûrement morte depuis longtemps.

Après une pause, Félicité continua sur un ton plus songeur.

— Tu sais, même si les restes de Borellus prolongent notre vie, ils ne nous donnent pas l'immortalité. Et c'est bien comme ça.

— Que veux-tu dire, grand-maman ?

— Si je devais mourir, je crois que j'en serais soulagée. Ça a trop duré, tout ça. Je commence à être vraiment fatiguée de cette histoire. J'aurais voulu y mettre un terme depuis longtemps, mais je n'ai jamais eu le courage de…

Elle s'interrompit et regarda Abi, debout auprès d'elle, muette. Félicité balaya l'air de la main et reprit :

— Assez parlé de ça ! Va chercher mon jeu de tarot. C'est l'heure de ta leçon.

Chapitre 52

Les deux prisonniers, ficelés sur des chaises, observaient Edmond de leurs yeux encore irrités. Il étalait ses derniers achats sur la table en ricanant et en affichant un sourire sadique. Des pinces et un plat de plastique épais, suffisamment grand pour leur faire prendre un bain de pieds, alarmèrent Michaël et Élisabeth. Mais les quatre bouteilles d'un litre d'acide sulfurique les affolèrent visiblement plus, même s'ils tentaient de n'en rien laisser paraître. Edmond enfila un tablier de caoutchouc, des gants de néoprène qu'il fit claquer et des lunettes de protection. Élisabeth blêmit et Michaël se mit étrangement à ouvrir et à fermer son œil gauche tout en mimant les mouvements de bouche d'un poisson. Edmond s'adressa à Fred :

— Tu veux bien le laisser se concentrer sur mes propos ? Ouvre plutôt les fenêtres.

L'adolescente laissa Michaël tranquille et fit ce que demandait le vieil homme.

— Par lequel de vous deux vais-je commencer ? prononça Edmond en faisant craquer ses jointures. Lequel résistera le plus longtemps à la douleur ?

— Edmond ! s'emporta son frère en constatant l'air terrifié des deux prisonniers.

— Ce que tu peux être casse-pieds, Jean ! On peut bien les faire marcher un peu après tout ce qu'ils nous ont fait.

Frustré, Edmond posa devant lui un énorme mortier accompagné de son pilon. Il vida une des bouteilles dans le plat de plastique tout en entamant son discours.

— C'est de l'acide sulfurique concentré à 38 %. On s'en sert pour emplir les batteries de moto, entre autres.

— Si tu penses pouvoir m'en apprendre là-dessus, espèce de…, commença Michaël.

Une crampe soudaine l'arrêta, lui laissant deviner que Fred venait d'utiliser son don pour lui provoquer une violente contraction des intestins. La bouche du captif s'ouvrit à lui en disloquer les mâchoires et il ne parvint plus à la refermer.

— Merci, Fred, dit le vieillard. Tu peux me passer le sac à dos, Lorie ?

À l'aide des pinces, Edmond en retira tous les morceaux d'os éparpillés parmi les cendres et le bois désagrégé. Après avoir déposé tous ces ossements dans le mortier, il les y broya. Michaël, la bouche toujours ouverte comme un singe hurleur en action, avalait sa salive avec difficulté et en laissait échapper une partie sur son menton. Edmond versa les os émiettés dans le plat d'acide. Élisabeth secoua la tête de désespoir quand le vieillard les noya d'une seconde bouteille de ce liquide huileux et incolore.

— Comme ça, intervint père Jean, vous aurez assisté à la destruction des ossements. Vous pourrez témoigner à votre famille qu'ils n'existent plus.

Edmond secoua le contenu du sac au-dessus du plat où se dissolvaient les résidus d'ossements. Il les arrosa de l'acide de la troisième bouteille. Finalement, il enfonça le sac lui-même dans cette soupe et l'aspergea du dernier litre.

— Maintenant nous allons vous laisser repartir, termina Edmond en retirant ses

gants. Fred pourrait vous tuer si elle le voulait, vous le savez. Alors, vous allez sortir de cette chambre et de cet hôtel sans faire de problèmes. Toi, Michaël, ne lui donne pas un seul prétexte pour te faire la peau, car je suis certain qu'elle ne laissera pas passer l'occasion.

Renaud coupa leurs liens à l'aide du canif, tout en gardant le vaporisateur de poivre de Cayenne bien en main. Élisabeth se frotta les poignets en tentant de reprendre un air digne. Michaël s'essuya le menton et la gorge avec sa main, puis se tourna vers Fred en lui désignant sa mâchoire toujours ouverte au maximum. Elle hésita, mais le regard insistant de père Jean la fit obtempérer à la demande du garçon. Aussitôt libéré de l'emprise de Fred, il se massa le visage sans parler, en la fixant d'un air mauvais.

— Placez-vous devant la fenêtre, ordonna Fred. Plus vite !

Élisabeth obéit aussi rapidement que le lui permettaient ses talons hauts. Quant à Michaël, il eut besoin d'une nouvelle crampe intestinale pour s'exécuter. Plié en deux, il rejoignit l'épouse d'Antonio.

— Vous voyez le bout de la ruelle, là-bas? continua Fred. Si vous courez assez vite, vous aurez peut-être la chance de vous y rendre intacts. Un, deux, trois! Partez! hurla-t-elle en faisant ouvrir la porte de la chambre avec fracas.

Michaël et Élisabeth se précipitèrent vers la sortie, sans égard l'un pour l'autre. Ayant projeté la femme contre le chambranle de la porte, Michaël arriva le premier à l'escalier. On les entendit dévaler les marches et Michaël déboucha dans la rue, suivi de près par Élisabeth avec ses souliers en mains. En un temps record, ils avaient presque atteint l'extrémité de la rue. Il ne leur restait plus qu'à contourner un camion de livraison stationné quand la portière de celui-ci s'ouvrit brusquement. Michaël la reçut en plein visage. Sonné, il tenta de se relever pendant qu'Élisabeth le dépassait en courant. La portière claqua pour s'ouvrir de nouveau et asséner un autre coup au garçon. Michaël s'éloigna finalement du véhicule en rampant avant de reprendre la fuite.

— Quoi? J'avais dit «peut-être», expliqua Fred en soutenant le regard désapprobateur de sa sœur et de père Jean.

— Pour ça, je suis témoin. Elle avait bien dit « peut-être », confirma Edmond.

Chapitre 53

— Puisque mon avenir te préoccupe tellement, dit la grand-mère, c'est la question à poser.

La vieille femme regarda Abi qui brassait les cartes avec un manque de conviction apparent. La femme avait retiré son turban, laissant voir ses cheveux blancs et clairsemés.

— Tu coupes le paquet de la main gauche. Concentre-toi mieux que ça, Abi.

L'adolescente anticipa l'ordre suivant en tirant une carte et en la déposant à côté du paquet, sur le pouf. Face cachée.

— Maintenant…

Mais Félicité ne put terminer sa phrase. Dans le fauteuil d'où elle dominait Abi et le jeu de tarot, elle se cabra soudainement. Comme si on lui avait enfoncé un couteau dans le creux des reins. Alarmée, Abi enjamba le repose-pieds pour lui porter secours.

— Grand-mère! Qu'est-ce qu'il y a?

L'aïeule essaya de lui répondre, mais elle n'y parvint pas. Ses yeux hagards se mirent à rouler dans leurs orbites. Aucun son ne sortait de sa bouche. Abi tenta de prendre la main droite que lui tendait sa grand-mère, mais celle-ci se dégagea.

— Quoi? demanda Abi en pleurant. Qu'est-ce que tu veux?

L'index de la moribonde pointait vers le ventre d'Abi. Les autres doigts se déplièrent avec difficulté et bougèrent pour lui faire comprendre de s'enlever de là. L'adolescente s'exécuta. Félicité désignait maintenant le jeu de tarot. Abi s'irrita.

— On perd du temps, grand-maman! J'appelle l'ambulance.

La main ridée cessa de pointer vers les cartes pour retenir Abi par le poignet. Les yeux de la vieille femme se voilèrent. Ses doigts glissèrent du bras de sa petite-fille pour tendre de nouveau vers le jeu de tarot. Puis ses paupières se fermèrent à demi et elle cessa de respirer.

Chapitre 54

L'ambulancière jeta un dernier coup d'œil au corps de Félicité, puis elle s'adressa à Abi en refermant les portes du véhicule.

— Désolée pour ta grand-mère. Si tu veux, tu peux nous accompagner au centre hospitalier. C'est possible de rencontrer un intervenant…

— Non, ça va aller. Ma mère est en route, réussit-elle à articuler.

— Très bien alors.

La femme la salua d'un signe de tête compatissant. Elle alla rejoindre son coéquipier dans l'ambulance, celui avec qui elle avait tenté plus tôt de vaines manœuvres de réanimation.

Abi pleura en les regardant s'éloigner. La neige se mit à tomber. Elle réalisa qu'elle grelottait. Dans sa main, elle tenait toujours la carte du jeu de tarot qu'elle avait retournée. Un squelette y maniait une faux : la carte de la mort.

TABLE DES CHAPITRES

Roger Marcotte

Décrocheur scolaire, Roger Marcotte retourne sur les bancs d'école et devient neuropsychologue. Il remporte un premier prix littéraire en 2005, ce qui lui confirme sa passion pour l'écriture destinée aux jeunes lecteurs. S'ensuit la publication de trois histoires en France et d'un roman d'aventures au Québec (finaliste au prix Cécile-Gagnon).

La trilogie fantastique *La malédiction des Ferdinand,* dont *La rêveuse extralucide* est le deuxième tome, lui permet de contribuer au développement d'une autre passion : la coopération internationale. En effet, pour chaque tome de cette série, l'auteur verse la moitié de ses droits à *Entraide sans frontières* (esfquebec.org), organisme de bienfaisance qu'il a fondé avec son épouse à la suite d'un voyage dans des régions défavorisées de Madagascar. Ainsi, les ventes du premier tome permettent déjà d'aider une école de ce pays et celles du deuxième tome seront octroyées à un lycée du Burkina Faso.

COLLECTION CHACAL

1. *Doubles jeux*
   Pierre Boileau (1997)
2. *L'œuf des dieux*
   Christian Martin (1997)
3. *L'ombre du sorcier*
   Frédérick Durand (1997)
4. *La fugue d'Antoine*
   Danielle Rochette (1997)
   (finaliste au Prix du Gouverneur général 1998)
5. *Le voyage insolite*
   Frédérick Durand (1998)
6. *Les ailes de lumière*
   Jean-François Somain (1998)
7. *Le jardin des ténèbres*
   Margaret Buffie, traduit de l'anglais par Martine Gagnon (1998)
8. *La maudite*
   Daniel Mativat (1999)
9. *Demain, les étoiles*
   Jean-Louis Trudel (2000)
10. *L'Arbre-Roi*
    Gaëtan Picard (2000)
11. *Non-retour*
    Laurent Chabin (2000)
12. *Futurs sur mesure*
    collectif de l'AEQJ (2000)
13. *Quand la bête s'éveille*
    Daniel Mativat (2001)
14. *Les messagers d'Okeanos*
    Gilles Devindilis (2001)
15. *Baha-Mar et les miroirs magiques*
    Gaëtan Picard (2001)
16. *Un don mortel*
    André Lebugle (2001)
17. Storine, l'orpheline des étoiles, volume 1 : *Le lion blanc*
    Fredrick D'Anterny (2002)
18. *L'odeur du diable*
    Isabel Brochu (2002)
19. *Sur la piste des Mayas*
    Gilles Devindilis (2002)
20. *Le chien du docteur Chenevert*
    Diane Bergeron (2003)

21. *Le Temple de la Nuit*
Gaëtan Picard (2003)

22. *Le château des morts*
André Lebugle (2003)

23. Storine, l'orpheline
des étoiles, volume 2 :
Les marécages de l'âme
Fredrick D'Anterny (2003)

24. *Les démons de Rapa Nui*
Gilles Devindilis (2003)

25. Storine, l'orpheline
des étoiles, volume 3 :
Le maître des frayeurs
Fredrick D'Anterny (2004)

26. *Clone à risque*
Diane Bergeron (2004)

27. *Mission en Ouzbékistan*
Gilles Devindilis (2004)

28. *Le secret sous ma peau*
de Janet McNaughton,
traduit de l'anglais
par Jocelyne Doray (2004)

29. Storine, l'orpheline
des étoiles, volume 4 :
Les naufragés d'Illophène
Fredrick D'Anterny (2004)

30. *La Tour Sans Ombre*
Gaëtan Picard (2005)

31. *Le sanctuaire des Immondes*
Gilles Devindilis (2005)

32. *L'éclair jaune*
Louis Laforce (2005)

33. Storine, l'orpheline
des étoiles, Volume 5 :
La planète du savoir
Fredrick D'Anterny (2005)

34. Storine, l'orpheline
des étoiles, Volume 6 :
Le triangle d'Ébraïs
Fredrick D'Anterny (2005)

35. *Les tueuses de Chiran,*
Tome 1, S.D. Tower,
traduction de Laurent
Chabin (2005)

36. *Anthrax Connexion*
Diane Bergeron (2006)

37. *Les tueuses de Chiran,*
Tome 2, S.D. Tower,
traduction de Laurent
Chabin (2006)

38. Storine, l'orpheline
des étoiles, Volume 7 :
Le secret des prophètes
Fredrick D'Anterny (2006)

39. Storine, l'orpheline
des étoiles, Volume 8 :
Le procès des dieux
Fredrick D'Anterny (2006)

40. *La main du diable*
Daniel Mativat (2006)

41. *Rendez-vous à Blackforge*
Gilles Devindilis (2007)

42. Storine, l'orpheline des étoiles, Volume 9 : *Le fléau de Vinor*
Fredrick D'Anterny (2007)

43. *Le trésor des Templiers*
Louis Laforce (2006)

44. *Le retour de l'épervier noir*
Lucien Couture (2007)

45. *Le piège*
Gaëtan Picard (2007)

46. *Séléna et la rencontre des deux mondes*
Denis Doucet (2008)

47. *Les Zuniques*
Louis Laforce (2008)

48. *Séti, le livre des dieux*
Daniel Mativat (2007)

49. *Séti, le rêve d'Alexandre*
Daniel Mativat (2008)

50. *Séti, la malédiction du gladiateur*
Daniel Mativat (2008)

51. *Séti, l'anneau des géants*
Daniel Mativat (2008)

52. *Séti, le temps des loups*
Daniel Mativat (2009)

53. *Séti, la guerre des dames*
Daniel Mativat (2010)

54. *Les Marlots – La découverte*
Sam Milot (2010)

55. *Le crâne de la face cachée*
Gaëtan Picard (2010)

56. *L'ouvreuse de portes*
La malédiction des Ferdinand
Roger Marcotte (2010)

57. *Tout pour un podium*
Diane Bergeron (2011)

58. *Séti, la fille du grand Moghol*
Daniel Mativat (2011)

59. *Séti, l'homme en noir*
Daniel Mativat (2011)

60. *Séti, le maître du temps*
Daniel Mativat (2011)

61. *La rêveuse extralucide*
La malédiction des Ferdinand
Roger Marcotte (2011)

62. *Storine l'orpheline des étoiles*
Fredrick D'Anterny (2011)